LE TUEUR TRISTE

FRÉDÉRIC DARD

LE TUEUR TRISTE

LES CLASSIQUES DU CRIME

ISBN 2-8302-0164-7

16 369 009 (3)

A Marina VLADY

et à

Robert HOSSEIN

Avec l'affection de

F. D.

INTRODUCTION

LES chars défilent sur la place Masséna, à Nice, entre une double haie de badauds en délire. Les cris, les rires, les fleurs et les confetti jetés à poignées tournoient dans la mollesse de l'après-midi.

Max, debout au bord du trottoir, regarde sur la droite pour voir si Maurice est arrivé avec la voiture. Il aperçoit la carapace noire de la traction et donne un coup de coude à Lino.

Lino sourit. Il est aux anges. Il aime cette liesse populaire qui lui rappelle son Italie natale.

— On y va?

— Go!

Ils ramassent Charly, l'ahuri, piqué contre un lampadaire avec des confetti plein sa tignasse crépue.

— A nous, bonhomme!

Charly les suit avec sa pauvre gueule d'ancien boxeur sans mémoire.

Ils parcourent quelques mètres en lançant eux

7

aussi des confetti qu'ils puisent dans des grands sacs en papier...

Ils parviennent à la hauteur de la traction. L'auto est stationnée pile devant la bijouterie. Sur la porte du magasin, deux jeunes employées rieuses et frénétiques crient leur admiration aux chars lunaires qui défilent.

Lino et Max s'approchent d'elles et leur flanquent à la sauvette une poignée de confetti dans la bouche. Les filles s'étouffent, toussent, s'agitent sans cesser de rire pourtant.

Les deux hommes continuent de les bombarder. Elles battent en retraite dans le magasin.

A l'intérieur, un vieux bonhomme à cheveux blancs fulmine contre la cavalcade qui stoppe le commerce.

Il se met en colère en voyant le petit cortège de farceurs faire irruption dans sa boutique.

— Allons! Allons! grogne-t-il, je vous en prie... Les réjouissances, c'est dehors.

Charly vient de refermer la porte après avoir ôté le bec de cane à l'extérieur.

Lino sort de son sac de confetti un Beretta tout neuf. Des confetti sont collés dessus, à cause de la graisse de l'arme. Curieux, un Beretta constellé de points multicolores. N'empêche qu'il intimide toujours!...

Le bijoutier lève les bras. Il a compris. Ses

deux idiotes d'employées cessent de glousser et l'imitent.

Max craint que ces trois personnes aux bras levés n'attirent l'attention de l'extérieur.

— Pas la peine, leur dit-il, on travaille en confiance...

Il entraîne tout son petit monde vers l'arrière-boutique, là où se trouve le coffre.

— Ouvre ta tirelire! ordonne-t-il au bijoutier.

L'interpellé roule des yeux éperdus.

Un réticent! Lino lui appuie le canon du Beretta dans le ventre, juste au creux de l'estomac, là où se fait la digestion.

— Démerde-toi, murmure-t-il.

Son visage bronzé est uni comme celui d'une statue. Dedans, ses yeux brillent, pointus, avec des veines rouges dans le blanc.

Le vieux bijoutier comprend. Il sort une clé de sa poche. Une petite clé numérotée, pas compliquée du tout en apparence, et l'enfonce dans la serrure du coffre. Puis il bricole le système. La porte s'ouvre... Des· écrins sont empilés... Max regarde, d'un œil expérimenté. Il avise un compartiment à l'intérieur, fermé par une petite porte d'acier.

— Efforcez-vous d'entrer par la porte étroite! récite Lino.

Max ne sait pas où il va chercher tout ça... Il faut dire qu'il a pas mal lu en prison.

Comme le malheureux bijoutier ne bronche pas, Lino lui remet le canon du pistolet dans l'estomac. C'est une espèce de clé magique... Une clé à remonter les automates récalcitrants.

— Fais pas cette gueule, dit Lino, t'es assuré, non ?

Alors le bijoutier ouvre la seconde porte. Le compartiment contient une jolie liasse de billets de dix, et trois écrins aux formes bizarres. Max empoche les billets et ouvre les écrins. Malgré la pénombre de l'arrière-boutique, ça scintille dur là-dedans. Il émet un petit sifflement connaisseur.

Dehors on crie, on rit, on joue de la musique, on remue la poussière... On applaudit...

— Ça fait plaisir de tomber sur une maison sérieuse, apprécie Lino.

Les deux gangsters commencent à reculer. Le bijoutier a un élan vers son bien qui s'éloigne. Lino le calme d'un petit mouvement sec.

Simplement il avance son Beretta en direction du commerçant.

— Qu'est-ce qu'il y a ? grommelle-t-il. Les emballages sont consignés ?

L'une des employées bêle un rire nerveux que le marchand de joyaux ne lui pardonnera jamais.

Charly rouvre la porte. Lino reste le dernier pour tenir les victimes en respect jusqu'au dernier moment.

Max s'approche de l'auto aux vitres baissées. Il jette sa brassée d'écrins sur la banquette arrière et empoigne la poignée de l'auto. Seulement la serrure est bloquée de l'intérieur et la manette chromée ne frémit même pas sous la main.

Il regarde Maurice, au volant. Le garçon a un curieux visage tout crispé, avec des yeux de drogué sans came...

Il vient d'embrayer. Il fait un démarrage à mort, en seconde, qui manque de déséquilibrer Max.

— La tante! hurle Max...

Lino arrive après avoir remisé son feu. Il comprend tout et ses yeux deviennent pareils à ceux d'un loup blessé.

Charly demande des explications... A cet instant, le bijoutier apparaît.

Il s'étrangle à crier « Au voleur! »...

Les trois hommes s'élancent à travers la foule... Ils tournent le coin de la rue... Ils continuent de courir, vite, mais sans s'affoler. Ils prennent à gauche, à droite... A gauche, à droite... Jusqu'à ce que le souffle leur manque.

Alors ils s'adossent au mur d'une belle propriété entourée de palmiers poudreux.

Ils se regardent. Max est hideux à force de colère.

— Alors, demande-t-il...

11

Lino se sent responsable. C'est lui qui a amené Maurice dans le coup.

— T'en fais pas, halète-t-il... Je le repiquerai...

— Je te le souhaite, dit Max.

Il sort son fume-cigarette d'or de la poche supérieure de son veston. Il visse une cigarette dans le petit tube. Mais sa main tremble.

Lino a un goût de meurtre dans la bouche. Il regrette que Maurice ne soit qu'un. Il aimerait qu'il ait le don d'ubiquité pour pouvoir tuer une quantité folle de Maurice, les uns après les autres, en prenant son temps.

CHAPITRE PREMIER

JE suis arrivé chez ces dames sur le soir. J'avais eu du mal à trouver, parce que la maison se cachait derrière un atelier construit en léger et qu'il n'y avait pas de plaque sur l'atelier. Comme je ne tenais pas trop à me faire remarquer dans le patelin, je n'avais demandé mon chemin à personne, ce qui m'a obligé de parcourir, au ralenti, toutes les petites rues mal pavées du pays.

Chez Broussac, c'était nettement en dehors de l'agglomération. On longeait le mur branlant d'une espèce de vieux château pourri et puis, brusquement, ça faisait comme un renfoncement et c'était là.

L'atelier en ciment armé ressemblait à une énorme guérite. A sa gauche, un portail rouillé, fermé par une chaîne à cadenas, s'ornait d'une ravissante bordure d'orties pour bien montrer que depuis belle lurette on ne l'avait pas ouvert. Le tout faisait triste et vieux.

J'ai poussé la porte vitrée de l'atelier. Celui-ci

n'était éclairé que par une lampe de cinquante bougies, qui n'en finissait pas de pendre du plafond. Le type qui avait installé l'électricité dans ce local ne s'était vraiment pas cassé le chou. Et pourtant l'endroit valait le coup d'œil.

Figurez-vous une espèce d'entrepôt pour musée Grévin. Quand on entrait là-dedans, on croyait faire un cauchemar. Il y avait des masques partout : sur des rayonnages et plein des mannes d'osier. On les écrasait en marchant. Des masques ratés... on ne se donnait pas la peine de balayer... En guise de tapis, on piétinait la figure de Maurice Chevalier... Son grand rire était tout aplati.

Dans le fond, un vieux bonhomme minable, avec une blouse grise, un béret, une moustache trouée par les mégots fumés trop courts et des lunettes rafistolées, peignait le portrait de je ne sais pas qui avec du vermillon... Il tirait la langue en s'appliquant, comme les mômes à l'école. Une sale langue blanche avec du papier de cigarette collé au bout.

Près de lui, une petite jeune fille bigleuse, moche à pleurer, faisait des paquets sans avoir l'air d'y croire.

Ils discutaillaient tellement, tous les deux, qu'ils ne m'ont pas entendu venir.

— T'as expédié les Khrouchtchev ? demandait le bonhomme à la moustache mitée.

— Oui, m'sieur Victor, bêlait l'autre idiote.

— Et les Eisenhower?

— Je suis en train.

— Attention de ne pas les confondre... Ils se ressemblent comme deux gouttes d'eau!

J'ai toussé sur cette bonne réplique. Le vieux a relevé la tête et il s'est contorsionné pour essayer de me regarder par-dessus ses lunettes déglinguées.

— Qu'est-ce que c'est? m'a-t-il demandé d'une voix qui n'osait pas me dire merde mais qui s'y préparait.

J'ai mis un doigt à hauteur de mon chapeau, parce que j'ai toujours respecté les ancêtres, même lorsqu'ils n'ont pas une vieillesse très présentable.

— Je voudrais causer à M. Broussac. Pas le père... le fils...

— Heureusement, a marmonné le vieux type, en se mouchant avec la manche de sa blouse, parce que, pour le père, faut s'adresser au cimetière maintenant!

A sa voix, on sentait qu'il était assez content que son patron l'ait précédé au pays des allongés.

— C'est Mme Broussac qui s'occupe de l'affaire, m'a-t-il expliqué.

— J'ignorais, ...mande pardon!

L'autre, aussi sec, s'est mis à tout me raconter : Mme Broussac veuve depuis six ans... Son courage édifiant... Ses deux grandes filles si gentilles! Il allait attaquer sur son ordre de fils lorsque je lui ai rappelé que c'était justement lui que je venais voir.

— Vous avez de la chance, a-t-il soupiré. Maurice est justement là... Et pourtant ça faisait quatre ans qu'on ne l'avait pas vu...

C'était de la chance en effet! Une chance en échange de laquelle j'aurais donné dix ans de ma vie sans rechigner, si on pouvait tirer des chèques sur sa vie en étant sûr qu'ils seront approvisionnés.

— On peut le voir, ce brave garçon?

— Prenez la porte du fond, remontez l'allée... La maison est juste derrière.

— Merci.

J'ai eu l'idée de lui offrir une cigarette, tellement j'étais content ; mais il avait la tête à fumer du bois mort plutôt que des blondes!

Si l'atelier était pittoresque, le jardin n'était pas sale non plus. Il y poussait plus de ronces que de poireaux ; d'ailleurs elles faisaient plus joli que des poireaux. On apercevait une tonnelle rouillée avec des rosiers grimpants autour, des bancs de pierre verdis, d'anciens massifs qui se distinguaient encore à travers la mauvaise herbe, et puis, partout, de vieux arbres aux troncs éclatés qui constituaient une aubaine pour les oiseaux flemmards.

A quelques mètres de l'atelier se dressait la maison. Quand on l'avait construite elle devait faire rupin, on le comprenait tout de suite au fromage prétentieux qui ornait les fenêtres, au toit d'ardoises, au perron en forme d'éventail. Mais maintenant elle faisait fauché, ni plus ni moins. Fauché de province, pour être précis. La façade décrépite ressemblait à la gueule d'une vieille dame qui a essayé de sauver les apparences tant qu'elle a pu et puis qui, un matin, a dit merde en se regardant dans une glace. Elle partait en morceaux. Elle était couverte de grandes plaques pareilles à une maladie. Dans un sens, c'en était une : la maladie de la fauche!

J'ai grimpé les marches, une main passée à l'intérieur de ma veste, pas du tout pour réprimer les battements de mon cœur.

J'ai tourné le loquet de cuivre. Le corridor puait la misère confortable. Une odeur bizarre, que j'avais reniflée je ne me rappelais plus où, il y avait très longtemps. Une odeur de cire, de vieux bois, de linges repassés... Une odeur! Ah oui... Je m'en souvenais : une odeur de sacristie. Il devait y avoir des gravures pieuses un peu moisies par là... dans des cadres noirs.

Les murs étaient couverts de lézardes qu'on avait colmatées avec du plâtre. Le dallage brisé, lui, avait été rafistolé avec du ciment. De chaque côté du couloir s'ouvraient deux portes en bois vernis. Elles avaient l'air neuves parce que le vernis coûte pas cher et qu'on les fourbissait à tout berzingue, histoire de sauver l'honneur.

Derrière la première de droite, s'élevait un murmure de voix. Deux voix de femmes. Je me suis approché, l'oreille frémissante.

— Pourquoi a-t-il fait ça, soupirait l'une d'elles.

— Parce que c'est devenu un ignoble petit voyou, a répondu la seconde, très sèche.

— Qu'allons-nous devenir?

— Vends tes titres!

J'ai frappé discrètement.

— Entrez!

La pièce était un bureau. Un bureau pour directeur de pensionnat libre en faillite, si vous voyez ce que je veux dire?

Papier de tapisserie pisseux, à rayures jaunes... Chaises rococo, bureau à volet, brillant de cire ; et puis les inévitables gravures pieuses que j'attendais.

Derrière le gros meuble se tenait une vieille dame à cheveux blancs qui paraissait très ennuyée... Près d'elle il y avait une demoiselle de vingt-cinq ou vingt-six ans, pas mal, mais un peu sèche, qui tournait gentiment à la vieille fille.

Mon arrivée a foutu la panique dans le coin. Elles ont ouvert des yeux comme si j'étais saint Machin redescendu sur la terre avec un imperméable vert et un chapeau à bord baissé. Je les ai considérées un moment sans penser à les saluer. La vieille s'est dressée. Régence, s'il vous plaît. Il lui manquait des lorgnons avec un manche pour ressembler à une bonne femme de la haute.

— Monsieur?

Y a pas, fallait que j'y passe : j'ai ôté mon chapeau.

— Salut, mesdames!

La fille était vraiment pas mal. De la classe
plutôt que de la beauté. Et c'était mieux que de
la beauté. Plus rare, quoi!

Je lui ai balancé un gentil sourire qui l'a laissée
de glace.

— Excusez-moi de vous déranger, je voudrais
juste voir Maurice.

Mme Broussac a eu comme une petite grimace
douloureuse.

— Vous jouez de malchance, monsieur...

Qu'est-ce que ça voulait dire? Est-ce que ce
petit foie-blanc avait passé la consigne à sa mère?

Du coup j'ai cessé de sourire. Moi, j'aime pas
qu'on me berlure, même quand c'est une dame
avec des cheveux blancs et l'air de présider la ker-
messe de la paroisse qui essaie de m'avoir.

— Malchance! j'ai répété. Pourtant le bonhomme dans l'atelier vient de me dire juste le
contraire. Paraît que Maurice est ici...

— Il est reparti ce matin, a murmuré la
fille.

Jolie voix. Je sais pas si elle avait suivi des
cours de diction ou si c'était naturel, mais elle
articulait toutes les syllabes.

— Ah oui?

19

— Oui, monsieur! a appuyé la dame Broussac. Puis-je vous demander qui vous êtes?

Au lieu de répondre, je suis sorti de la pièce,
presto, et je me suis mis à ouvrir toutes les autres
portes de la maison, dans l'espoir de dénicher cette
lope de Maurice, vautré dans un fauteuil et sa-
vourant la vie de famille avec un Corona dans le
bec.

Personne! J'ai escaladé l'escalier et j'ai fait
la même chose en haut. Toutes les chambres
étaient vides...

Comme je redescendais, j'ai aperçu les deux
femmes, bras croisés dans le couloir... Elles avaient
des regards comme de la glace. Sûrement que
dans leur monde ça ne se faisait pas, ces petites
visites éclair.

— Monsieur, votre attitude...

C'était la fille qui la ramenait.

— Où est votre fils? ai-je coupé en m'approchant de Mme Broussac.

— Je vous ai déjà dit qu'il était parti ce matin...

— Pour où?

— Je l'ignore! Il ne nous a pas même dit adieu...

La tristesse de sa voix me montrait qu'elle
disait vrai.

— Comment se fait-il que le vieux, dans l'atelier, ait prétendu qu'il se trouvait ici?

— Il ignore le départ de mon fils...

— A quelle heure est-il parti?

— Quand nous nous sommes levées il n'était plus là!

— Et à quelle heure vous levez-vous?

— Sept heures...

Elle a demandé, mais avec crainte cette fois.

— Qui êtes-vous?

Au lieu de répondre, je suis retourné au bureau. En y entrant tout à l'heure, j'avais cru remarquer quelque chose. Fallait que j'en aie le cœur net.

Le quelque chose en question, c'était une caissette d'acier, comme en ont les petits-bourgeois pour ranger leurs valeurs. Elle se trouvait sur le bureau. Je l'ai ouverte : elle était vide. La serrure portait des traces qui ne trompaient pas : on l'avait forcée depuis pas longtemps ; les éraflures du métal étaient encore brillantes.

Du boulot d'amateur. C'était bien de Maurice. Ce genre de tirelire s'ouvre d'ordinaire avec une épingle à cheveux, mais lui il s'était carrément servi d'un gros tournevis ou d'un ciseau.

Les deux femmes m'avaient suivi et me regardaient, toutes pâles, avec des yeux honteux.

— Dites, il a emporté un petit souvenir, l'enfant prodigue, non?

Elles n'ont rien répondu. J'ai levé mon chapeau et je suis parti.

21

CHAPITRE II

MAURICE s'était barré de la maison avant sept heures du matin, en emportant le pognon de sa mère. Je retrouvais là ses bonnes manières. Il n'avait pas de voiture... Et ça m'aurait surpris qu'il en eût volé une pour venir dans ce bled. Il était bien trop intelligent pour commettre ce genre de bêtise.

Je suis donc allé directement à la gare. C'était l'heure creuse. A part un vieux poivrot qui cuvait son neuf degrés dans la salle d'attente, il n'y avait personne à l'horizon... Je suis allé au guichet et j'ai frappé. Le trappon s'est soulevé et la figure couleur de fumée d'un employé mal rasé a joué au portrait.

— Vous désirez?...

Pas commode, le salarié de la S.N.C.F.! Il devait faire ses mots croisés ou bouffer son hareng du soir.

— Mande pardon, Chef, ai-je murmuré, bien qu'il n'y ait pas trace de galon sur sa casquette. Quels sont les trains qui partent d'ici avant sept heures le matin?

Drôle de question. Il est resté pensif un bout de temps, en me regardant pour chercher à me situer socialement.

Puis comme il était tout de même là pour renseigner le populo il a annoncé, d'un ton très professionnel.

— Quatre heures dix-sept : Paris... Cinq heures quarante : Sens... Sept heures deux...

— Bon. vous étiez là, ce matin?

— Oui, pourquoi?

(Je vais vous donner une recette en passant : quand on vous pose une question à laquelle vous ne tenez pas spécialement à répondre, hâtez-vous d'en poser une autre.)

— Vous connaissez le fils Broussac? Broussac, des masques?

— Oui, pourquoi?

— Il a dû vous prendre un billet, ce matin? Non?

Le gars était un tantinet dépassé par les événements. Plus il était époustouflé, plus il me regardait, plus il me regardait moins il comprenait.

— En effet, pourquoi?

— Un billet pour où?

Alors là il a commencé à se mettre en rogne.

— Hé! Dites, permettez!

J'ai porté la main à ma poche intérieure.

— Police! Alors?

L'employé s'est épanoui.

— Je m'en doutais, a-t-il affirmé, comme un à qui on ne la fait pas.

— Un billet pour où? ai-je insisté.

— Pour Gênes.

— L'Italie, vous êtes sûr?

— Oui. Il m'a demandé s'il pouvait payer le parcours italien en argent français... Je lui ai répondu que oui ; et même qu'il pouvait prendre un aller-retour... Alors il a pris un aller simple pour Gênes... Je lui ai établi le trajet par Sens, Lyon, Modane, Turin...

— Merci...

Je m'éloignai du guichet. Mais je suis revenu parce que j'oubliais de poser la dernière question.

— Il arrivera à quelle heure à Gênes?

L'employé a fait la grimace.

— Oh dites, pas encore. C'est que ça lui fait trois correspondances! Il s'est abîmé dans ses horaires... Il écrivait des chiffres de temps en temps dans la marge d'un journal. A la fin il s'est redressé, souriant, content de lui et de ses additions.

— Il y sera à zéro heure douze, sauf retard...

J'ai jeté un coup d'œil à l'horloge. Elle indiquait six heures. Avec un peu de veine je pouvais arriver à temps à Orly pour l'avion de neuf heures.

En fait de bagage, il portait juste une valise carrée, en porc. Son visage ressemblait à de la viande bouillie, a cause de ses dix-sept heures de train,

Il est passé à deux mètres de moi sans me voir, car je me tenais contre un kiosque à journaux. Si je n'avais écouté que ma rage, je lui aurais sauté sur le poil illico, seulement c'eût été vraiment déraisonnable. J'ai préféré le suivre gentiment. Y avait rien de plus facile car il était grand et très blond. D'ailleurs, il est entré dans le premier hôtel Terminus venu...

De dehors je l'ai vu remplir sa fiche d'hôtel. Je me suis mis à l'attendre, patiemment, sur le trottoir d'en face. Je savais qu'il ressortirait pour se dégourdir les jambes, boire un coup, se frotter à la foule. Après un voyage aussi long, il avait besoin de tout ça...

Je n'ai pas eu longtemps à attendre. Il est arrivé un quart d'heure plus tard, après s'être débarbouillé et avoir mis une chemise propre. Il fredonnait du napolitain, cet idiot... Parce qu'il avait passé une frontière, il croyait avoir changé de planète!

Il est allé sur la place de la gare. Il y avait une station de landaux découverts.

En bon touriste, il est monté dans l'un de ceux-ci. Il ne se sentait plus. Probable que la nuit tiède lui portait à la tête! Ou alors c'est le bourrin avec ses pompons et ses sonnailles qui lui a plu. J'ai fait comme lui en disant à mon cocher de le suivre. L'air sentait l'huile d'olive et la mer...

On s'est filé le train, comme ça, pendant une demi-heure. Lorsqu'on a été en dehors de la ville, Maurice est descendu sur une esplanade où il y avait une fête foraine et il a payé son cocher.

Il voulait s'étourdir un brin, ce pauvre chéri. Je me suis approché de lui, par-derrière.

— Alors Maurice, je lui ai fait, ça te plaît, la Riviera?

Il s'est arrêté pile. Je sentais tout ce qui se passait en lui. Je comprenais sa stupeur, sa peur, son incrédulité.

Il lui a fallu plusieurs secondes avant qu'il ose se retourner. Et pendant ces quelques secondes-là, je crois qu'il a dû maigrir. La surprise que je lui infligeais valait tous les saunas de Norvège. Ses narines étaient plates, ses yeux enfoncés, ses joues creuses. Ce garçon-là était assez fortiche pour manigancer des petits coups d'arnaque; mais question courage, il laissait volontiers sa place aux autres.

J'ai repéré une rue bordée de lauriers-roses qui semblait filer vers la mer.

— Viens par ici, mon grand, on a besoin d'un coin tranquille pour bavarder...

Je lui ai mis un coup de genou dans le côté pour le décider.

— Surtout n'oublie pas que je suis chargé! ai-je murmuré...

C'était inexact. J'avais laissé mon P.38 dans la boîte à gants de ma voiture, à Orly, because la douane.

Le chemin aux lauriers-roses ne menait pas à la plage mais à un cinéma en plein air dont la dernière séance venait de finir. Par les portes béantes on voyait le terre-plein obscur borné par une haute palissade de bois, et, tout au fond, le gigantesque rectangle pâle de l'écran. Après tout, c'était un endroit idéal pour une conversation à bâtons rompus!

Maurice marchait lentement, sans rien dire. Qu'aurait-il dit? Il savait ce que j'allais lui demander et il savait surtout qu'il n'avait aucune pitié à attendre de moi.

Nous avons remonté sur quelques mètres l'allée centrale du cinéma ; puis je lui ai désigné une chaise.

— Assieds-toi là.

Il a obéi. Je suis resté debout devant lui. Je gardais une main dans la poche de mon imper pour lui faire croire des choses.

— Tu sais, ai-je attaqué en mettant un pied sur le bord de la chaise, j'ai déjà vu pas mal d'ordure dans ma chienne de vie. Mais des comme toi, jamais! Tu inaugures!

Il a eu un geste de retrait, comme s'il prévoyait la beigne qui concluait ma phrase. Il a pris un revers sur la bouche. Je me suis fait mal sur ses dents. Un gémissement lui a échappé et il a touché sa lèvre éclatée pour voir si ça saignait.

— Qu'est-ce que tu croyais, Maurice? Je me le demande... T'avais donc jamais compris à quel point le monde est petit?

Maintenant, ça lui semblait être l'évidence même.

— Je ne connais pas de bled où tu aurais pu te planquer, ai-je affirmé, songeur... Franchement, non!

Je ne sais pas où était passée la lune, cette nuit-là, mais il y avait juste des étoiles au ciel ; plus une sorte de grande clarté qui venait de la mer et qui semblait bouger sur l'écran. On avait dû projeter des tas de scènes pareilles à celle que nous jouions sur ce rectangle de toile...

Le regard de Maurice était pâle...

J'ai tiré une chaise dans l'allée et je me suis mis à califourchon dessus.

— Vois-tu Maurice, ai-je continué en m'efforçant de conserver mon calme, c'est moi qui m'occupe de ton affaire parce que c'est moi qui t'ai amené à mes copains... Ils me tiennent responsable, tu saisis?

De nouveau je l'ai giflé. Ç'a été plus fort que moi. Sa jolie gueule peureuse attirait les gnons. Il a mis sa main à plat sur sa joue meurtrie. Il s'en est fallu d'un rien qu'il chiale comme un gosse et demande pardon.

— Où sont les bijoux? ai-je attaqué, suave

Il est resté sans rien dire, pétrifié.

— Tu les as fourgués?

— Non!

Je l'ai cru. S'il avait bradé la camelote, il n'aurait pas eu besoin de piocher dans la cassette de sa mère.

— Alors?

Une fois de plus j'ai cogné. C'était marrant de biller sur ce pleutre tout en restant assis. Je l'ai saisi par les cheveux et je lui ai cogné le front contre le rang de chaises placé devant lui.

— Si tu ne réponds pas, Maurice, je te vide un plein chargeur dans les tripes.

— Je les ai cachés...

— Où ça?

Ça lui fendait le cœur, mais il préférait perdre le gros lot plutôt que la vie. Il n'avait pas bien l'habitude du milieu et il se figurait naïvement qu'il pouvait encore me racheter sa peau.

— Allons, raconte, où sont-ils?

A la fin, son silence m'a porté sur les nerfs.

Je me suis dressé, je l'ai empoigné par la cravate et l'ai obligé à se remettre debout.

— Parle!

Je me suis mis à le frapper des deux mains, à toute allure : gauche, droite ; gauche, droite! Jusqu'à ce que ça me fasse mal dans l'épaule et que mes paumes me brûlent. Tout en tapant je murmurais :

— Vite! Vite! Vite!

Comme ça, à chaque beigne. Sa tête allait d'un côté et de l'autre. Le sang lui pissait du nez et de la bouche.

— Arrête, Lino! Arrête!

Il a presque crié... Je me suis arrêté. Il avait l'air d'un gosse et d'un loup tout à la fois. A travers sa bouche éclatée, on voyait briller ses dents crispées sur un rictus de haine, tandis que ses yeux racontaient sa trouille.

— Ils sont cachés chez ma mère...

Curieux, je m'en doutais vaguement. Une impression confuse que j'avais éprouvée en passant le seuil de la vieille maison, là-bas... Je m'étais dit que s'il était revenu chez ces dames, c'était pour y planquer le gros magot!

— A quel endroit?

Tout en posant cette nouvelle question, je me demandais de quelle façon j'allais me le faire. Le mieux c'était de le knockouter par un crochet au menton et, pendant qu'il serait dans le

30

cirage, de lui couper la gorge avec mon gentil couteau corse affûté comme un rasoir.

— Hein, Maurice, à quel endroit?

A cet instant, il s'est produit quelque chose d'inattendu. Les lumières sont revenues dans le cinéma. Nous nous sommes trouvés dans une vive clarté qui nous a fait mal aux yeux. J'ai balancé un regard par-dessus l'épaule de Maurice... J'ai vu un tout petit bonhomme à l'extrémité de l'allée centrale. C'était un nain. Il se tenait campé sur ses jambes en arc de cercle, les mains aux hanches, dans une attitude grotesque de conquérant lilliputien.

— Et alors! Et alors! s'est-il mis à beugler en italien. Qu'est-ce que vous foutez là? Où vous croyez-vous! Faut-il que j'appelle la police?

Bien à l'abri de sa faiblesse, il nous a dévidé un chapelet d'insultes.

— Sortons, ai-je dit à Maurice...

C'est alors qu'il a joué son va-tout! Je n'ai jamais vu un coureur à pied piquer un démarrage aussi foudroyant. Le temps que je comprenne, il avait déjà quatre mètres d'avance sur moi.

Quand je suis arrivé à la sortie de l'enclos j'ai aperçu sa silhouette qui se fondait dans la foule des fêtards...

Et quelque chose m'a dit que je ne le rattraperais plus. En tout cas, pas de cette façon.

CHAPITRE III

Elles étaient toutes dans l'atelier quand je suis revenu : Mme Broussac, sa fille aînée, et l'autre, la dernière, que je n'avais pas encore vue, une jolie petite jeune fille de seize ans, avec des nattes blondes et un début de poitrine bien placée.

Elles parlaient avec le vieux type aux lunettes cassées, et ce qu'elles disaient ne devait pas être marrant, car elles faisaient des figures d'enterrement.

Mon arrivée a été comme un orage qui éclate brutalement. Vous savez : on se balade à la campagne, sans prendre garde au gros nuage qui glisse dans le ciel. Un coup de tonnerre : et puis le nuage se fait hara-kiri et c'est la rincée.

Elles ont sursauté. J'étais le coup de tonnerre qui déclenche tout. Mme Broussac avait un fichu noir avec de longues franges. Elle l'a serré contre elle comme si, brusquement, un méchant courant d'air venait de s'établir.

Je leur ai fait un gentil sourire. Mais j'ai déjà

remarqué que mon visage ne se prête pas aux mondanités. Je crois bien que lorsque je veux être gracieux je fais davantage peur. Cela tient sans doute à mes épais sourcils noirs, à mon regard brillant, pointu, et à ma bouche aux coins un peu tombants... Oui, je pense que ça vient de là... Ou alors c'est que lorsque je souris on aperçoit un peu de ce qui fermente dans mon crâne.

— Bonjour!

J'ai pas pensé à enlever mon chapeau parce que j'étais préoccupé. Ça a choqué ces dames, naturellement.

— Venez par ici, ai-je fait à la vieille dame en montrant la porte du fond. Il faut que je vous parle.

J'ai marché devant. Elles m'ont suivi toutes les trois, sans parler. J'ai arpenté l'allée de graviers qui menait au perron. Une fois les marches gravies, j'ai ouvert la porte et me suis effacé pour les laisser entrer. On aurait pu croire que c'était moi qui les recevais.

Une fois dans le corridor, la fille aînée a refermé la porte. Puis elle a attaqué :

— Que nous voulez-vous encore?

J'ai haussé les épaules.

— Qui êtes-vous? a questionné la mère.

— Un policier... Ça ne se voit donc pas?

Elles se sont regardées. Je n'arrivais pas à détacher mes yeux de la dernière.

Je n'avais jamais vu d'aussi près une jeune fille avec de longs cheveux blonds et une petite frimousse sérieuse. A Paris, on n'en trouve plus, des vraies jeunes filles, jolies, réservées, avec du maintien et leur virginité. C'est de l'espèce en voie de disparition, comme certains animaux.

Elle me regardait aussi, mais d'un air réprobateur...

A la dérobée. Depuis sa première jupe on devait lui seriner qu'il ne fallait jamais regarder les messieurs dans les yeux.

— Un policier! a soupiré la mère... Qu'est-ce qu'il a fait, encore?

— Des choses, ai-je soupiré... Des choses qui ne se font pas, justement!

Elle a fermé les yeux et s'est adossée au mur. La fille aînée a poussé un grand cri :

— Maman!

La vieille a fait un signe négatif, comme pour dire qu'on ne devait pas se tourmenter. C'était juste une faiblesse : l'émotion.

Elle était pâle, avec les narines pincées. Maurice lui ressemblait beaucoup. Ça m'a frappé.

— Il n'a tué personne? a-t-elle demandé.

Décidément, elle s'attendait à tout de la part le son rejeton.

— Oh! non, tout de même...

— Alors?

— Mettons qu'il a commis une... indélicatesse!

34

Le terme m'a botté. Tu parles! Pour une indélicatesse, c'en était une, et de première grandeur.

— Il ne vous a rien donné à garder? leur ai-je demandé en les considérant tour à tour d'une manière un peu appuyée.

— Mais... non!

Elles ne devaient pas savoir mentir.

— Il est pourtant venu cacher des trucs par ici.

— Qu'appelez-vous des trucs? a demandé la grande.

— Des bijoux.

— Volés? a demandé la plus jeune.

C'était la première fois que je l'entendais parler, celle-là. Elle avait une voix claire qui allait avec ses nattes et sa figure.

— Bien sûr, mon chou. S'il les avait gagnés dans une tombola. il ne les cacherait pas!

— Mais pourquoi les aurait-il cachés ici? a soupiré Mme Broussac.

— Parce qu'ils ne sont pas vendables pour le moment. Leur signalement a été diffusé partout. Pour écouler cette marchandise, il faut faire appel à des spécialistes... Maurice n'en connaît pas. Il est neuf dans le métier...

— Il nous tuera à coups de scandales!

Bon, elle se lançait dans les jérémiades d'usage. Moi, j'avais autre chose à fiche qu'à les entendre.

Je suis sorti pour inspecter un peu le jardin.

Derrière la maison, il se transformait en verger
Les hautes herbes étouffaient les arbres et l'on devait faucher le clos une fois par an. Encore ne
devait-il pas donner du très bon foin.

Je l'ai parcouru dans tous les sens, sans trouver
rien de suspect. Nulle part la terre n'avait été
remuée... J'aurais dû me douter que cette ordure
de Maurice était trop cossard pour enfouir son
trésor au pied d'un arbre! Il aurait eu trop peur
de faire des ampoules à ses jolies mains en creu-
sant.

Les femmes étaient embusquées derrière la fenêtre du bureau et suivaient mes faits et gestes
avec anxiété. Je leur ai adressé un petit geste
amical et je suis rentré... Il m'aurait fallu une
baguette de sourcier avec la manière de m'en
servir. Je sentais que les bijoux se trouvaient dans
la maison. Maurice avait dû dénicher une chouette
planque. Ça m'excitait.

J'ai inspecté toutes les pièces, en me consa-
crant particulièrement aux sommiers, à l'intérieur
des cheminées et au-dessus des armoires. Chou
blanc!

Ensuite j'ai visité la cave, parce que c'est un
endroit qui, à première vue, semble idéal pour y
cacher quelque chose. Quand j'en suis remonté,
j'étais noir comme un ramoneur et j'avais

des toiles d'araignée en feston au bord de mon chapeau.

La nuit était tombée et une odeur appétissante venait de la cuisine. Une odeur d'aubergine frite...

La fille aînée m'a vu déboucher de la cave, depuis son fourneau. Elle avait noué un tablier blanc qui lui donnait un petit air de soubrette très affriolant.

— Vous avez... trouvé ?

— Rien. Vous permettez que je me lave les pognes ?

Je suis allé me nettoyer au cabinet de toilette. Tout en me savonnant les mains, je réfléchissais. J'avais deux missions à accomplir, auxquelles il était impossible que je me dérobe : premièrement retrouver le magot ; deuxièmement liquider Maurice... Si j'échouais, c'est moi qui payais les pots cassés. Je connaissais Max. Il ne badinait pas avec ce genre de plaisanterie. Depuis le dernier coup fourré, il ne me regardait plus pareil. Je voyais clairement qu'il me soupçonnait d'être de connivence avec ce salaud de Maurice.

J'avais accroché mon imper et mon chapeau à la patère du vestibule pour aller me nettoyer. Quand je suis revenu, j'ai aperçu la table mise dans la salle à manger. Mme Broussac s'y trouvait déjà et la plus jeune des filles découpait le pain qu'elle arrangeait dans une corbeille.

Je les ai rejointes. L'aînée arrivait, portant une soupière fumante. De la soupe aux lentilles!

— Je n'ai pas pu résister

— Et mon couvert? ai-je demandé.

Vous auriez vu leurs têtes!

CHAPITRE IV

JE me demande encore comment nous nous y sommes pris pour dîner sans prononcer une parole. C'est Mme Broussac qui a battu tous les records d'endurance. Non seulement elle n'a rien dit, mais de plus elle ne m'a pas regardé une seule fois. Ses filles, par contre, me détaillaient à la dérobée. Elles surveillaient surtout mes mains, au point que j'en avais honte. J'essayais de me rappeler les bonnes manières de Max. Fallait pas découper toute sa viande dans son assiette avant de commencer à la manger... Ne pas écraser les légumes avec le dos de la fourchette... ni vider son glass cul sec... et puis se servir après les dames. Quand j'y pensais il était chaque fois trop tard.

C'est pourquoi je ne pouvais pas parler, moi non plus. Ça me serrait le gosier... Faut dire que c'était mon premier repas chez des bourgeois. Oh! j'avais déjà cassé la croûte dans des salles à manger pareilles à celle-ci, mais c'était toujours au cours d'un casse lorsque les propriétaires n'y étaient pas. Je me sentais si mal à l'aise que j'ai regretté pendant tout le repas de m'être invité.

Pourtant, maintenant, je n'avais plus le choix. Pour repiquer Maurice, je ne devais pas lui courir après à travers le monde, mais l'attendre dans son nid. Il n'allait pas tarder à rappliquer pour récupérer les bijoux. J'avais dans l'idée que ça l'empêchait de dormir maintenant, la pensée que je savais où ils étaient planqués. Pendant quelque temps il aurait la frousse, bien sûr, après ses émotions de' Genova. Puis il s'enhardirait. Les hommes les plus poltrons finissent toujours par bercer leur peur pour l'endormir...

Quand on a eu fini de croquer, la vieille s'est levée et a gagné son bureau. J'ai un instant craint qu'elle ne téléphone aux autorités de par là pour leur demander si ça se faisait chez les poulets de s'installer à domicile et de partager la croque du monde. Mais un coup d'œil dans la pièce m'a montré qu'elle s'occupait de ses paperasses. La situation financière de la maison se présentait mal, y avait pas besoin d'être expert-comptable pour le comprendre. Elle passait ses nuits à tirer des plans foireux sur la comète, Mme Broussac. Chaque escalope qui franchissait la porte devait coûter son prix d'angoisse, je vous le garantis.

J'ai eu un coup d'indécision. Le mieux, c'était peut-être de ramasser mon chapeau et de leur dire *good night* !

Mais j'ai trop le sentiment du devoir pour céder aux premières impulsions.

Les deux filles charriaient les assiettes sales de la salle à manger à la cuisine. Bonne âme, j'ai pris la corbeille à pain et la salière, histoire de contribuer... Naturellement, ces deux trucs restaient dans la salle à manger où Sylvie (la petite) les a reportés avec humeur.

La grande (elle s'appelait Jacqueline) a passé une blouse blanche et enfilé des gants de caoutchouc pour faire la vaisselle. Elle ressemblait plus à une infirmière qu'à une plongeuse.

Sylvie a pris un torchon pour essuyer les assiettes au fur et à mesure. Je les ai regardées un moment, assis sur un tabouret. Elles continuaient à se taire...

Je savais ce qu'elles pensaient. Les deux mômes se demandaient ce que j'attendais pour prendre mes cliques et mes claques. La situation devenait de plus en plus tendue. J'ai empoigné un torchon accroché à côté de l'évier.

— Je vais vous donner un coup de main, ai-je annoncé en riant.

— Non, merci ; c'est inutile ! a déclaré Jacqueline.

— Mais si. Figurez-vous que je n'ai jamais fait la vaisselle. Ca m'amuse d'essayer... Paraît que tous les milliardaires américains ont débuté en faisant la plonge... Je ne serai jamais Américain, mais je ne désespère pas de devenir milliardaire...

J'ai chopé un plat sur la pile de vaisselle qu'elle sortait de son bac en matière plastique. Vous me croirez si vous voulez, mais moi qui ai des gestes d'accoucheuse pour ouvrir les coffres les plus coriaces, j'ai réussi à foutre la pile d'assiettes en l'air. Ça a produit un bruit terrible qui les a fait crier, toutes les deux. Jamais je ne me suis senti aussi couillon de ma vie.

Naturellement la vieille est arrivée précipitamment. Elle a contemplé les assiettes cassées, ses filles, le torchon que je tenais le long de ma jambe...

— Monsieur, elle m'a fait poliment, je vous prie de quitter cette maison immédiatement! Votre attitude est inconcevable.

A qui elle croyait parler, Madame la baronne! A son vieux type qui peinturlurait les masques, ou à un homme authentique?

J'ai posé le torchon.

— Je crois qu'on s'est mal compris, madame Broussac, ai-je murmuré. Ici, jusqu'à nouvel ordre, c'est moi qui commande. C'est moi qui donne les ordres, et qui casse la vaisselle si bon me semble. (J'ai été content de cette phrase. Elle était bien tournée, je sais pas si elle les a épatées, mais je peux vous dire qu'elle m'a impressionnée, moi!)

La pauvre dame est passée par toutes les couleurs de la colère. Y avait de l'électricité dans l'air, je vous jure.

42

Elle a tendu le bras vers la porte.

— Sortez!

Ç'aurait été une de ses deux filles qui me dise un truc comme ça, recta elle aurait eu ma main sur le museau. Avec la vieille, j'ai pas osé. Toujours mon complexe des cheveux blancs...

— Ecoutez, madame Broussac. Je ne vous ai pas tout dit sur votre garçon...

Ça l'a calmée. Elle a laissé retomber son bras vengeur.

Du moment que j'avais trouvé le bon argument, il fallait que je pousse mon avantage.

— Sachez seulement que sa seule chance, c'est d'être arrêté. Il n'a pas été régulier avec les gens de sa bande, et ceux-ci le recherchent pour le mettre en l'air... Je ne sais pas si je me fais bien comprendre!

Elle n'avait plus du tout envie de rouscailler. Elle s'est assise, une main sur son cœur, comme au théâtre, seulement là, c'était pas du flan.

J'ai poursuivi, hors de moi :

— Et si je suis ici, c'est justement pour sauver sa carcasse de fumier, vous m'entendez? Ordre de mes chefs : l'attendre auprès des diams qu'il ne manquera pas de venir récupérer... Maintenant, si vous faites des histoires, je m'en vais, tout à fait d'accord, car je n'ignore pas que ma présence ici est irrégulière. A vous de décider...

Elle n'a pas pu répondre : elle chialait. Un chagrin curieux, comme jamais je n'en avais vu. Les larmes coulaient sur ses joues sans qu'elle les sente... Ses deux filles se sont précipitées vers elle et l'ont embrassée. Ce tableau familial me cassait les pieds.

— La chambre de Maurice, ai-je questionné, c'est bien celle où il y a une raquette de tennis au mur et la photo de Gary Cooper?

— Oui, a dit Jacqueline.

— Bon. C'est là que je coucherai... Pas d'objections?

Elles n'ont rien répondu. Je suis monté.

-:-

Elles ont bavassé un bout de temps en bas. Dans la maison, il y avait de plus en plus une ambiance d'enterrement. Enfin elles sont montées se coucher...

J'étais assis dans un fauteuil, les jambes sur l'accoudoir, et je grillais une cigarette lorsque Jacqueline a frappé à ma porte. Avant qu'elle entre, j'ai su que c'était elle. Rien qu'à la façon énergique de toquer.

— Entrez!

Elle portait une robe de chambre rose, qui mettait en valeur ses cheveux châtain clair.

— C'est gentil de venir me souhaiter le bonsoir.

Au lieu de répondre, elle regardait le désordre

qui m'entourait. Je venais de faire une perquise
en règle de la pièce et tout se trouvait sens dessus
dessous.

— Vous tracasse*z* pas, je rangerai, lui ai-je dit
en souriant. Vous vouliez me parler ?

Elle a refermé la porte et s'est avancée vers moi.
Il y avait une jolie rougeur sur ses joues. Je l'im-
pressionnais, mais elle s'efforçait d'avoir du cran.

— Oui. C'est au sujet de ma mère...

— Qu'est-ce qui ne va pas ?

— Elle a le cœur fragile...

— Mince !

— Avec toutes ces émotions... J'ai peur pour
elle. Si vous saviez tous les chagrins, tous les soucis
qu'elle a...

Elle commençait à me faire tartir. J'allais écoper
de la grande tirade sur les malheurs de Maman
Broussac. Ses malheurs ! je les connaissais aussi
bien qu'elle. Et même je lui en préparais de nou-
veaux.

Des malheurs bien mijotés, bien saignants...
Le cœur fragile ! Pas d'émotions ! C'était bien des
idées de bourgeois, ça !

J'ai désigné le lit. Le matelas avait été roulé
sur le sommier. Et les draps et les couvertures
pliés couronnaient le matelas.

— Ça ne vous ennuie pas de m'aider à faire le
lit ? je lui ai demandé. Je suis à peu près aussi
manche pour ça que pour la vaisselle !

Elle a hésité, puis elle s'est approchée.

On a commencé à dérouler le matelas.

— Je parie que c'est la première fois que vous faites un lit avec un homme? ai-je dit en riant.

Elle a lâché le drap qu'elle étalait et elle est sortie.

CHAPITRE V

J'AI dormi comme un bienheureux.

C'est de la musique qui m'a réveillé. Une musique douce et plaintive. Je me suis levé. Ça venait de la chambre à côté. En moins de deux, je me suis habillé pour aller voir. J'ai jamais pu résister à une musique, moi. Mon sang italien, je suppose? Tout môme, je me rappelle, dans les rues de Naples, je courais derrière les fanfares...

Je suis allé frapper à la porte voisine. Personne n'a répondu. Alors j'ai tourné le loquet.

La petite Sylvie jouait du violon. Une merveille! Elle le tenait contre sa joue, avec amour. Si un jour elle avait un tel geste de tendresse pour un homme, il deviendrait complètement dingue.

Elle était debout près de la croisée, devant un pupitre pliant. Elle portait un pantalon de velours noir, un pull orange et elle avait lié ses cheveux en un énorme chignon derrière la tête.

J'ai fait si doucement qu'elle ne m'a pas entendu entrer...

Elle a continué de jouer jusqu'à la fin du morceau. Quand elle a eu terminé, elle m'a entendu respirer, derrière elle, et elle s'est retournée.

— Continuez, mon petit... C'est rudement bien...

— Que faites-vous ici ?

— J'étais venu visiter votre chambre. Hier je n'ai pas fouillé les meubles. Mais rien ne presse...

Sylvie est allée déposer son violon et l'archet sur l'édredon. On aurait dit un curieux animal, tout luisant, niché dans ce paquet de plumes. Je l'ai caressé du bout des doigts, impressionné.

— C'est pas gros, j'ai soupiré. On ne peut pas se figurer qu'il a toute cette belle musique dans le bide !

Elle a crié :

— N'y touchez pas !

Son regard bleu était mauvais. J'aurais essayé de la tripoter, elle n'aurait pas eu une réaction plus spontanée.

Ça m'a rappelé aux réalités. Max m'aurait vu, bêlant devant ce violon de rien du tout, il aurait voulu faire vilain !

J'ai coincé Sylvie dans l'angle formé par son lit et le mur. Elle a élevé ses mains à la hauteur de ses petits seins de pucelle.

— Ne me touchez pas !

— Eh, dites, c'est une maladie ! Alors il ne faut rien toucher, ici !

Son geste de défense n'était pas si bête. Elle avait compris avant moi ce qui se passait dans ma tête. Les femmes, même toutes jeunettes, ont un instinct extraordinaire.

Il m'est venu une bouffée curieuse, en pleine figure. Comme si mon sang voulait sortir par mes yeux... J'ai avancé la main. Je ne savais pas encore où j'allais la poser. Tout me tentait dans ce petit corps souple.

Je me suis ressaisi à la dernière seconde et je lui ai pris le menton.

Elle avait fermé les yeux.

— Regardez-moi, Sylvie!

Elle a soulevé ses paupières, intriguée par ma voix. Il faut dire que j'avais moi-même du mal à la reconnaître. On aurait dit que je parlais depuis le fond d'un puits...

— Vous êtes certaine que votre frère ne vous a pas confié les bijoux ?

— Vous êtes fou!

Je l'ai lâchée. Elle a eu le culot de me repousser. Ses poings menus ont pris appui contre ma poitrine. Elle était forte, cette petite bougresse.

— Pour qui me prenez-vous! a-t-elle continué.

— Mais... pour la sœur de votre frère...

Je me suis reculé parce que c'était ridicule, cette gamine qui me repoussait. J'avais l'air de quoi ?

Pour me donner une contenance, je suis allé droit à la commode : un vieux meuble avec des pieds Louis quelque chose. J'ai ouvert le tiroir du haut. Il contenait de la lingerie... Des chemises, des combinaisons...

Sylvie a filé à la porte et elle est sortie en la faisant claquer aussi fort qu'elle a pu pour me montrer combien elle était fâchée.

Drôle de petite fille... L'idée m'était venue, en regardant sa lingerie, que ça devrait être intéressant de se l'envoyer! Seize ans? Vous parlez d'une aubaine! Seulement fallait y aller mollo, attendre son heure...

Mes doigts s'égaraient sur la soie blanche d'une culotte. Ça m'agaçait les ongles. Mes jambes tremblaient un peu... J'avais l'impression de violer Sylvie.

Elle est revenue pour récupérer son violon. Elle avait sûrement peur que je l'esquinte. Quand elle m'a surpris avec cette culotte dans les pattes, elle est devenue écarlate.

— C'est joli, ai-je murmuré en clignant de l'œil. J'aime bien le blanc. Les dames que je connais en ont des noires. A la fin, ça finit par faire un peu deuil!

Elle s'est sauvée sans demander son reste.

Je me suis rendu compte que je venais d'y aller un peu fort. Si la gosse rapinait ça à sa mère et à sa sœur aînée, j'étais certain que les choses se gâteraient.

Je suis descendu sur la pointe des pieds.

-:-

Naturellement, il y avait conseil de guerre en bas. Tout l'état-major était réuni dans le vieux bureau.

— Écoute, maman, disait Sylvie, la présence de cet homme sous notre toit est intolérable. Il a des façons...

— Il t'a manqué de respect? a questionné Mme Broussac d'un ton anxieux.

— Non, mais...

Tiens, tiens! Elle ne chargeait pas trop, la petite violoniste. Peut-être qu'elle voulait ménager le cœur de Maman, à moins qu'elle n'ait honte, tout bonnement.

— Je me demande s'il s'agit vraiment d'un policier, a murmuré Jacqueline.

Elle, c'était la voix de la raison. Elle regardait l'existence avec des lunettes bien à sa vue.

— Pourquoi dis-tu cela, ma chérie?

— Justement, parce qu'il a d'étranges manières. Quand il nous regarde, on dirait qu'il va nous dévorer... Tu sais, maman, on ferait bien de prévenir le maire... C'était un ami de papa, et il nous dit encore bonjour, lui...

— A quoi bon, a soupiré Mme Broussac ; nous serions obligées de lui apprendre les dernières incartades de votre malheureux frère... Le pays saura bien assez tôt, allez!

J'ai trouvé opportun de faire mon entrée. Les mains aux poches, un foulard de Maurice autour du cou... Et ses pantoufles fourrées aux pieds. Je jouais les mylords, j'étais doué pour...

— Bravo! ai-je crié, manière de les faire sursauter un bon coup.

L'effet était réussi. Elles ont poussé toutes les trois le même cri.

— C'est madame votre mère qui a raison, ai-je déclaré. Vous avez tout intérêt à ce qu'on reste gentiment en famille... Maintenant, pour ce qui est de ma qualité de flic, si vous avez des doutes, je vous montrerai ma carte... Tout à votre service...

J'aurais pu jouer les gros bras, comme ça, pendant cent six ans. Elles étaient bon public, les dames Broussac. On leur aurait montré un numéro de haute voltige, elles n'auraient pas ouvert plus grands les yeux.

Je les ai plantées au beau milieu de leur stupeur pour aller me verser une tasse de café à la cuisine. Cette fois-ci, j'ai bien fait attention de ne rien casser. Mes manières d'éléphant en bordée m'inquiétaient. C'est beau d'être un dur, mais à condition de pouvoir jouer les gentlemen quand besoin est...

L'horloge à balancier de la salle à manger a sonné dix heures... Une belle journée s'étalait devant moi, avec du soleil et des odeurs d'herbe qui arrivaient par bouffées, selon le vent.

J'ai pensé que Maurice avait peut-être planqué le magot dans l'atelier. Au milieu de ce capharnaüm, c'était un vrai régal de jouer à cache-cache-mon-petit-agneau.

-:-

Le vieux fabriquait des masques sur une emboutisseuse actionnée par une pédale. Il mettait un carré de carton sous la presse, il appuyait sur la pédale, et quand le dessus de l'emboutisseuse se relevait, il y avait un masque non peint à la place du morceau de carton. Il le sortait, le tendait à la bigleuse qui- égalisait les bords avec des ciseaux courbes.

En me voyant entrer, il a eu une grimace qui disait toute la sympathie que je lui inspirais.

Ce brave homme m'aimait autant qu'une épidémie de grippe.

— Comment, vous êtes encore là! s'est-il écrié.

Il a tiré sa saloperie de langue blanchâtre, râpeuse, prolongée par un affreux mégot. La petite arpette qui l'aidait me contemplait avec des yeux gros comme des poings. Ses lunettes de myope la faisaient ressembler à un horrible poisson crevé.

— Ben voyons, ai-je réparti. Je suis un grand ami de Maurice... Je viens passer quelques jours de vacances chez sa mère. Toujours Paris, on finit par avoir les nerfs comme une corde de guitare...

Je me suis emparé d'un masque en cours de fabrication.

Je ne voyais pas du tout qui il voulait représenter.

— Je ne connais pas ce monsieur, ai-je dit en me le plaquant sur le visage. Présentez-moi!

— Paul Reynaud, a bougonné le bonhomme.

J'ai regardé le masque. Oui, en effet, si ça n'était pas un singe, c'était bien Paul Reynaud.

— Mince, il fait encore marrer le populo, celui-là!

La bigleuse a poussé un rire stupide qui ressemblait à une poignée de noix roulant sur un parquet ciré.

— Au travail, Jeanne! a mugi le vieux en continuant son boulot.

J'ai examiné le local. Il allait me falloir un bout de temps pour l'explorer sérieusement... Il comportait des rayonnages en veux-tu en voilà! Sans parler des pyramides de caisses et de vieux cartons qui se dressaient dans le fond...

— Vous cherchez quelque chose? m'a demandé le vieil ouvrier en rallumant son ignoble mégot.

J'ai pris une échelle et l'ai appliquée contre le rayonnage le plus inaccessible.

— Si c'était de la poussière que je cherche, je serais servi. On ne fait donc jamais le ménage dans votre bordel!

Il a haussé les épaules. La môme myope a de nouveau rigolé de façon idiote.

Comme j'atteignais le faîte de l'échelle, une sonnerie a retenti.

Ça ressemblait au timbre d'appel d'un poste téléphonique, et pourtant il n'y avait aucun appareil dans l'atelier.

— C'est le téléphone? ai-je demandé à la petite bigleuse.

— Oui.

— Où est-il?

— Dans la maison. C'est un autre signal pour quand Mme Broussac est là avec ses demoiselles.

La sonnerie venait de s'arrêter. Je me suis laissé couler au bas de l'échelle et j'ai fait fissa jusqu'à la maison.

La voix de Mme Broussac était en train de dire :

— A qui voulez-vous parler? A monsieur comment? Lino?

Je suis intervenu :

— Envoyez, c'est pour moi.

Sylvie se tenait dans l'encadrement. Elle s'est écartée vivement pour me laisser passer. Sa frangine arrivait de la cuisine, intriguée.

J'ai arraché l'écouteur des mains de la vieille.

J'ai reconnu la voix calme de Max.

— Ici Lino.

— C'est pas dommage. Qui est-ce qui m'a répondu?

— Mme Broussac.

— Elle roule sur la jante ou quoi?

— C'est la province, mon vieux.

J'ai regardé en direction de la porte. Elles étaient toutes les trois immobiles, à me regarder. Un drôle de groupe... cette vieille dame malheureuse avec ses deux filles.

J'ai mis la main sur l'émetteur.

— Allons, allons, mesdames, ai-je crié, et la discrétion!

Ça valait le jus! Moi qui venais me moucher dans leurs rideaux, leur donner une leçon de savoir-vivre? Ç'a été un sauve-qui-peut...

En riant, je suis revenu à mon interlocuteur.

— Excuse, je faisais évacuer le pont! Alors?...

— C'est moi qui te dis « alors », Lino. Tu as du neuf?

— Zéro.

— Tu ne crois pas que Maurice t'a bourré le mou en te disant que les bijoux se trouvaient chez sa vieille?

— Non! quand il m'a dit ça, il ne pensait pas à mentir...

— Tu parles! Il t'a déjà eu jusqu'au trognon!

— Justement, l'idée ne lui serait pas venue de me pigeonner une seconde fois...

— Alors, si les cailloux sont dans la maison, trouve-les!

— Je les cherche!

— Remue-toi.

— Merci du conseil... Si tu crois que je m'amuse...

Il a eu son affreux rire blanc qui me donnait mal au cœur.

— Si tu as besoin de nous, Lino, tu n'as qu'un geste à faire : nous ne sommes pas loin.

Ça voulait tout dire. J'ai raccroché sans un mot.. Les choses se gâtaient...

Elles m'attendaient dans le couloir. Sur leurs figures crispées, j'ai lu que de leur côté non plus ça ne tournait pas rond. A cause de Maurice, je m'étais laissé embarquer dans une sale affaire. Faudrait bien qu'il me paye ça un jour. Et le plus tôt serait le mieux.

— Ah! voilà mes petites indiscrètes!

J'ai eu tort de charger. M#### Broussac s'est mise en pétard.

— Monsieur, je ne crois pas que vous soyez bien placé pour parler de discrétion dans cette maison.

Et allez donc! J'ai plus su que répondre. Évidemment, si on partait dans les grands mots, je jouais perdant, avec mon vocabulaire de triquard.

Mme Broussac était décomposée. On allait encore avoir la séance avec son cœur, ses palpitations et tout...

Dans l'atelier, j'avais fait une tache de peinture à ma veste, sous la manche. C'était en prenant l'échelle.

En guise de réponse, j'ai posé ma veste et l'ai tendue à Jacqueline.

— Dites, mignonne, vous n'auriez pas un détachant pour ça? Je me suis un peu salopé dans votre fabrique de cauchemars.

— Je ne suis pas votre domestique!

Maintenant, la grande bringue s'y mettait!

Mes doigts se sont crispés sur le vêtement que je brandissais.

— Pas de manières! Vous allez me détacher ça tout de suite, compris? Mettez-vous dans le crâne une fois pour toutes que vous êtes la mère et les sœurs d'un gibier de potence. C'est pas de votre faute, je sais ; n'empêche que ça crée des obligations... Allez, oust! Exécution...

Je lui ai balancé la veste sur la figure. Elle n'a pas bronché, n'a pas tendu le petit doigt pour la retenir. Mon veston est tombé sur le carreau du vestibule. Il y a eu un moment assez terrible, je crois. Mme Broussac s'est baissée et a ramassé le vêtement. Puis elle a fait demi-tour pour aller frotter la tache.

Jacqueline a paru sortir de sa torpeur.

— Non, donne! a-t-elle murmuré en prenant ma veste des mains de sa vieille.

Sylvie est remontée au premier, son violon sous le bras. En gravissant les marches, elle me regardait. Ses yeux de petite fille renfermaient quelque chose que je ne connaissais pas : de la peur, un peu, oui je pense, et puis aussi autre chose...

Mme Broussac est rentrée dans son bureau.

— Goujat! m'a-t-elle lancé au passage...

Je commençais à en avoir soupé de ces femelles. L'envie me prenait de tout casser dans la baraque.

Je suis allé à la cuisine, prendre des nouvelles de mon veston. Vous pensez peut-être que Jacqueline s'escrimait sur la fameuse tache? Pas du tout! La garce était trop occupée à explorer mon porte-cartes.

Elle le potassait comme un général potasse sa carte d'état-major avant de lancer l'ordre d'attaque.

Mon entrée a porté un coup à son moral. Il faut dire que j'arrive toujours sans bruit. Je suis costaud, mais on ne m'entend pas venir. Les tigres aussi sont trapus et pourtant ils marchent sur du velours.

— Alors, ma grande fille, on prend le chemin du frangin?

Elle a posé le portefeuille sur la table. J'ai compris, à la manière dont elle le regardait, que ça n'était pas mon arrivée inopinée, mais mes papiers qui l'effrayaient. J'ai récupéré la pochette de cuir. A l'intérieur se trouvaient certaines pièces d'identité qui ne trompent personne, pas même une petite provinciale chaste et pure.

— Vous n'êtes pas de la police! A-t-elle balbutié.

— Et alors, ça te choque?

Elle a secoué la tête, éperdue.

— Je ne comprends pas.

— Voyons, fait un effort : t'es instruite!

Ça me soulageait de ne plus avoir besoin de tricher. Maintenant, on allait s'expliquer dans le calme et la dignité.

— Vous êtes un ami de Maurice?

— Une vermine comme lui n'a pas d'ami, c'est impossible!

Elle a secoué la tête, voulant semble-t-il, chasser de son esprit une pensée qui l'effrayait.

— La bande qui le recherche...

J'ai souri.

— Tu brûles!

Vous ne pouvez pas savoir ce que la peur lui allait bien, à cette fille?

Ça lui donnait des couleurs, et de l'éclat. Elle avait le feu aux joues, le regard brillant, la poitrine qui se soulevait.

J'ai avancé la main sur cette poitrine menue mais bien dessinée.

Elle n'a pas eu un geste de parade. Elle ne s'apercevait même pas de ce qui se passait. J'ai caressé son corsage. Ses seins étaient fermes. Je me suis filé contre elle, étroitement, comme du papier adhésif! Ses formes m'émoustillaient. Dans le fond, elle m'excitait plus que sa sœur. Ça n'était pas la même qualité de sensation, quoi, vous comprenez? La petite m'intéressait surtout sur le plan moral. Tandis que Jacqueline...

Heureusement, je ne perds jamais complètement le nord. « Enfin quoi, Lino, me suis-je dit, tu ne vas pas te faire cette demoiselle dans la cuisine avec sa brave maman dans la pièce à côté et sa petite sœur en haut qui fait des gammes! »

Pourtant j'ai laissé glisser ma main le long de son corps. Avec tout ce tintouin, ça faisait près de huit jours que je n'avais pas vu Rita, et franchement, je m'en ressentais. Brusquement, Jacqueline est revenue à elle. Comme quelqu'un qui dormait et qu'on a réveillé avec un seau d'eau froide!

Elle a passé sa main par-dessus mon bras. J'ai pris ses ongles de tigresse en pleine figure.

Une herse brûlante m'a traversé la joue. En même temps, elle s'était arc-boutée contre le mur pour me repousser. J'ai lâché prise. Elle avait une façon d'accueillir les hommages, cette petite femelle, qui décourageait les gros tempéraments.

Tout s'est mis à chavirer devant ma vue. J'ai perdu les pédales dix secondes, abruti par la colère. J'ai oublié que c'était une fille et j'ai cogné. Un crochet sec, au flanc. Ça lui a coupé net la respiration. Elle a ouvert la bouche, mais aucun son n'en est sorti. Enfin elle a pu exhaler un étrange soupir pareil à un râle. Elle s'est effondrée. Un voile rouge s'est alors déchiré devant mes yeux. Je me suis rendu compte que je venais de biller dans une femme. C'est pas que j'aie eu honte ; non moi, la honte, vous savez... Mais je l'ai prise un peu en pitié. Ou je ne sais pas... Bref, je l'ai chopée contre moi. A l'oreille, tandis qu'elle haletait pour retrouver sa respiration, je lui chuchotais des choses.

— Excuse... J'ai eu un mauvais réflexe... Je voulais pas te faire mal...

Elle m'a glissé des bras et s'est assise sur un tabouret. Elle tenait sa main à l'endroit de la meurtrissure. On voyait qu'elle devait salement souffrir.

— Tu te sens mal, mon petit ?

Elle est parvenue à parler. Et vous savez ce

qu'elle m'a dit ? « Faut-il que mon frère soit tombé bas pour fréquenter des hommes tels que vous ».

Illico ma rogne est revenue. Moi qui avais déjà pitié d'elle! Comme quoi il ne faut pas dorloter une femme si on veut en venir à bout! Je lui ai pris le visage dans ma main. J'ai des pattes terribles. On lui voyait juste un œil entre mes doigts écartés, et puis ses cheveux par-dessus mes ongles carrés.

— Assez de mômeries, Jacqueline. Il vaut mieux maintenant que tu saches la vérité. J'en avais marre de chiquer au poulet ; c'est pas dans mes emplois.

» Voilà l'histoire, telle que : ton frère faisait partie de notre bande. C'est moi qui l'avais présenté à ces messieurs. On a fait une bijouterie, à Nice, pendant le carnaval justement... Tu vois, on est sous le signe des masques décidément. Cette lope de Maurice conduisait la voiture... Tu me suis ?

Elle a battu des paupières. Je l'intéressais...

On entendait la petite Sylvie qui raclait son violon au premier en jouant des trucs qui donnaient envie de pleurer...

— Il s'est taillé avec le butin, tu comprends ?

— Oui.

— Alors, faut que je retrouve les bijoux, c'est une question de vie ou de mort pour moi. Et puis faut aussi que je récupère ton frangin!

J'ai fermé les yeux pour mieux évoquer la jolie gueule de Maurice, son beau visage de bourgeois de faculté, avec ses cheveux blonds et sa bouche gourmande qui faisait battre le cœur des filles.

— Lui, ai-je soupiré, c'est devenu mon vice en quelque sorte...

— Qu'allez-vous faire? a-t-elle questionné à voix basse.

Elle n'était plus en colère.

J'ai haussé les épaules.

— Ne m'y fais pas penser, ça me met l'eau à la bouche...

Je l'ai quittée pour aller boire un coup de flotte au robinet de l'évier. Je me suis aperçu que je tremblais sur mes jambes comme si on les avait déboulonnées. Qu'est-ce qui m'arrivait donc? Le sang continuait à affluer à mon visage... Il cognait de chaque côté de ma tête et derrière mes yeux.

J'ai essuyé ma bouche avec mon mouchoir. Les ongles de Jacqueline avaient fait du beau boulot. Le sang coulait sur ma joue entamée. Elle a regardé et elle a eu honte. Elle est allée chercher de l'alcool et du coton dans le cabinet de toilette.

— Asseyez-vous! a-t-elle ordonné.

J'ai failli crier tellement l'alcool me faisait mal. C'était du vitriol.

Jacqueline est allée jeter le coton dans le vide-ordures. Elle a rebouché le flacon et s'est retournée avec vivacité.

— Dites...

— Je m'appelle Lino, vous pouvez y aller...

L'idée de m'appeler par mon prénom a dû lui sembler ridicule, ses narines ont eu un frémissement de mépris.

Puis ça s'est calmé.

— Vous pensez demeurer ici jusqu'à quand ?

— Jusqu'à ce que Maurice revienne.

— Que va-t-il se passer ? a-t-elle demandé.

— Comment ça ?

Elle a bougé la tête comme quelqu'un qui dit « oui » à ses pensées profondes.

— Et s'il ne revient pas ?

— Il reviendra !

CHAPITRE VI

ELLE avait une figure fine, tout de même. Pourquoi ne l'avais-je pas remarqué plus tôt? Bien des visages de femme qui paraissent beaux à première vue sont, en fin de compte, ratés vers le bas.

On ne fait pas assez attention aux mâchoires d'une fille. Portez-y un peu votre attention et vous verrez... Elles les ont souvent mal fichues comme tout! Ou bien elles sont saillantes, ce qui leur donne l'apparence d'un cheval. Ou bien trop larges ou trop minces, ce qui les fait ressembler à une grenouille ou à un rat. Les mâchoires de Jacqueline paraissaient avoir été étudiées par un peintre qui connaissait son affaire. On ne les voyait pas, quoi! Vous comprenez? Elles épousaient le mouvement de la joue...

Ce qu'il y avait d'un peu sec, en elle, c'était le moral. Voilà pourquoi elle commençait à prendre vaguement l'apparence d'une jeune fille prolongée... Elle avait bazardé tous ses rêves, tous ses désirs, au profit de sa vieille maman ; et ce renoncement la rongeait comme un mal incurable... Comme une maladie des pierres : celle qui fout en bas les plus baths édifices, conçus au départ pour défier le temps.

— Et quand Maurice sera là ? a-t-elle questionné au bout d'un grand moment à vide.

J'étais mou en dedans. Je n'avais plus tellement envie de parler.

— Quoi ?

— Que se passera-t-il ?

— Vous le verrez bien...

Je m'étais remis à la vouvoyer depuis que j'avais reconnu qu'elle possédait de belles mâchoires. Qu'est-ce qui nous passe par la tête, des fois, on se le demande !

— Vous avez l'intention de...

J'ai rien dit pour l'encourager à terminer sa phrase.

— ...de le tuer ? a-t-elle achevé pourtant.

— Vous me cassez les pieds, jeune fille, avec vos questions. C'est une histoire d'hommes, elle ne vous regarde pas !

— Vous avez déjà tué des gens ?

Ah la la ! qu'est-ce que c'était que ce boulot ! Elle travaillait pour *France-Soir*, ou quoi, cette petite chérie !

Elle voulait me situer tout à fait, prendre

mes mesures pour savoir tout ce que ces dames pouvaient redouter de moi.

J'en ai eu classe.

— Écoutez, Jacqueline, supposez qu'il y ait une bouteille pleine de nitroglycérine dans votre cuisine. Si vous éternuez un peu trop fort, elle explose... Vu? Alors soyez sages, toutes les trois, et ça se passera normalement. Je ferai tout mon possible pour vous tenir en dehors du coup... Seulement mets-toi une chose dans le crâne...

Voilà que je la retutoyais en m'excitant.

— Si vous essayez d'alerter la police... ou Maurice! Alors il arrivera de grands malheurs dans cette maison. Tout à l'heure on m'a téléphoné, tu l'as entendu? Ce sont mes amis qui s'impatientent! Si j'aboutis pas, ils feront du vilain. Et quand eux font du vilain, c'est vraiment du vilain, tu peux me croire...

Ses coups de griffe me faisaient un mal de chien. J'ai mouillé mon mouchoir et l'ai appliqué sur ma joue.

— Votre atelier est plein de carton... Tu as déjà vu quelque chose qui brûle mieux que le carton, toi? Et ça n'est rien, ma pauvre! Ta vieille mère doit avoir les os fragiles... ta petite sœur la peau tendre... Faut penser à tout ça, Jacqueline... Faut y penser! Et ne plus faire ta bêcheuse, compris?

Je suis retourné à l'atelier pour y poursuivre

ma perquise. La petite arpette bigleuse venait de partir à la poste, expédier la frime de Fernandel... Le père Victor m'a toisé depuis son établi.

A travers ses petites lunettes, il a vu les zébrures en cinq exemplaires qui me traversaient la joue...

— Qu'est-ce que vous vous êtes fait? a-t-il questionné.

Il avait tout compris et il jubilait.

— Il n'y a pourtant pas de chat dans la maison... Il est mort au début de l'année...

S'il continuait à me chambrer comme ça, on allait enregistrer un autre décès avant longtemps. Je suis allé le regarder sous le nez, d'une certaine manière. En général, c'est radical. Ça l'a été une fois de plus.

-:-

J'ai tout chamboulé sans rien découvrir. Il commençait à m'intéresser, Maurice. Depuis deux jours que je dévastais la maison, j'aurais dû mettre la pogne sur le magot!

Après le déjeuner, je me suis payé le grenier. Il était plein d'un bric-à-brac inouï. Pour tout vous dire, je n'avais jamais vu de grenier... C'est incroyable ce que ces gens de province peuvent accumuler comme vieilleries. Mme Broussac, qui était fauchée, possédait un de ces matériels qui auraient empli la boutique d'un antiquaire. Ça devait venir de la famille. Toutes les cochonneries que des générations de bourgeois avaient accumulées reposaient dans la lumière grise des combles, couvertes de poussière. Des bahuts, des tables, des pendules de marbre... Y en avait pour des ronds...

De temps en temps, elle devait monter faire un pèlerinage... Retrouver la fleur d'oranger de la grand-mère, le bonheur-du-jour de la tante Anna et l'uniforme de hussard de l'arrière-cousin...

Ce fourniment m'a amusé... Je n'ai pas trouvé les diams là non plus, mais j'ai passé un bon après-midi dans ces vieilleries.

Je ne suis redescendu que lorsque les tabatières sont devenues des rectangles de velours noir, avec une ou deux étoiles piquées dessus.

Sylvie dressait le couvert. Mme Broussac tricotait un truc noir...

— Je vais chercher le journal, ai-je annoncé, soyez sage...

Par mesure de sécurité, j'ai enlevé la prise de téléphone pour le cas où Maurice tuberait...

Ça m'a fait du bien de prendre l'air. La ruelle sentait les feuilles rafraîchies par la dernière averse... Elle sentait aussi le vieux mur décrépit et la pisse de chien... Au bout, y avait la petite ville, lourde comme une terre labourée, qui commençait à s'éclairer. On voyait des gens heureux sur les trottoirs étroits... Des gosses jouaient à la marelle ou bien flanquaient de grands coups de galoche dans une boîte de conserve vide... Qu'est-ce qui lui avait pris, à Maurice, de quitter tout ça pour s'encanailler? Il aurait pu reprendre l'affaire de son vieux, la développer, se faire nommer conseiller municipal et s'envoyer les petites dames en tailleur noir, mal coupé, de l'endroit. Elles étaient aussi jolies que les autres, non? Sacré Maurice! On lui aurait filé de grands coups de chapeau... Il se serait farci la belote, le soir, au café du Commerce, avec les huiles du coin... Je regardais la terrasse de l'établissement. Il s'appelait pas café du Commerce, mais café de la Place. C'était pareil... Y avait une bordure de troènes dans des caisses peintes en vert, autour des tables. Par les vitres, on voyait un vieux loufiat, avec un tablier blanc, une cravate noire, et quelques cheveux ratés collés sur le crâne... Pourquoi il avait refusé tout ça? Pour les bars de Pigalle? Pour les hôtels, les coups fourrés, les putes, le champagne des bars qui a presque toujours un goût de vomi?

Je lui en voulais encore plus maintenant...

J'ai acheté le journal de Paris, à la mercerie-bonneterie-papeterie-bazar tenue par une vieille avec un fichu noir, comme Mme Broussac, mais qui, elle, ressemblait à une chauve-souris.

En sortant de la boutique, j'ai avisé la vitrine bien éclairée d'un charcutier. Je me suis dit que je pouvais faire un geste, vis-à-vis des dames... Ça m'amusait de jouer au petit provincial du samedi soir...

Je suis entré. Y avait un tas de bonnes choses dans la gelée desquelles les lampes se reflétaient.

J'ai pris un pâté en croûte, un poulet rôti et une bouteille de Châteauneuf. On m'a mis le tout dans un sac en papier...

Je suis revenu à la maison, fier comme un pou!

-:-

La soupe était déjà servie et ces garces l'auraient attaquée sans m'attendre si elle avait été moins chaude. Moi qui arrivais avec des gentillesses plein les bras, ça m'a refroidi.

Pourtant je n'ai pas eu l'air de m'apercevoir de leur vacherie.

J'ai posé triomphalement le paquet sur la table, près de mon assiette.

— Donnez-moi deux plats! ai-je ordonné à Sylvie.

Elle a obéi. J'ai alors mis le pâté et le poultok sur des plats, en surveillant ces dames du coin de l'œil. Ni Mme Broussac ni Jacqueline n'ont sourcillé. Seule Sylvie a eu un petit sourire extasié. Mais en voyant les têtes de sa sœur et de sa vieille, elle a pris à son tour un visage de bois.

On a donc bouffé la soupe. Ensuite de quoi, j'ai avancé mon pâté sur le dessous de plat.

Je l'ai découpé moi-même en faisant gaffe de ne pas effriter la gelée. Il avait bonne apparence à l'intérieur aussi. On voyait des gros morceaux de truffe et des grains de pistache... J'en avais l'eau à la bouche.

Quand j'ai eu fini de détailler le pâté, lancé à fond dans les bonnes manières. je l'ai passé à Mme Broussac.

— Allons, servez-vous!

— Non merci.

— Comment?

Elle avait son visage fermé comme une porte d'église, le soir.

Elle a regardé ses deux filles. Les mômes ont repoussé mon pâté l'une après l'autre. Jacqueline avait dû dire qui j'étais, en mon absence, et l'on me faisait le coup du mépris.

Écoutez, vous avouerez que c'était pas de veine, Hein? Un pâté qui aurait fait baver d'envie la reine d'Angleterre! Elles m'auraient craché à la figure, toutes les trois, ça n'aurait pas été pire.

J'ai pris leurs assiettes, de force et j'ai mis une tranche de pâté dans chacune d'elles. Elles étaient pâles comme le Christ d'ivoire qui faisait du bras tendu au-dessus de la cheminée...

— Si vous ne bouffez pas, je fais un malheur, les ai-je prévenues... Je ne sais pas encore quoi, mais un grand malheur...

Elles ont mangé. Moi aussi, mais sans appétit. Cette tourte avait bon goût, pourtant...

CHAPITRE VII

On montait se coucher. J'avais toujours la fiche du téléphone dans ma poche. Comme ça, j'étais certain que Maurice ne pourrait pas appeler. J'ai fermé la porte à double tour et j'ai gardé la clé. Je me sentais le patron... Elles allaient filer doux depuis le coup du pâté!

— En somme, a murmuré la vieille, en me voyant tourniquer la clé au bout de mon doigt, en somme, vous nous séquestrez?

— Je prends mes précautions, voilà tout!

— Ça va durer longtemps?

Jacqueline avait dû l'affranchir incomplètement.

— Jusqu'a ce que j'aie une explication avec Maurice...

Elle est venue à moi et a posé ses mains fripées sur mes bras.

— Vous n'allez pas lui faire de mal?

C'était pas la peine de lui flanquer une crise. Les yeux de Jacqueline me suppliaient par-derrière.

— Seulement lui réclamer les bijoux...

Elle a hoché la tête. Puis, changeant de ton, elle m'a déclaré.

— Demain c'est dimanche.

— Merci du renseignement...

— D'ordinaire nous allons à la messe.

— Bon, vous n'irez pas, voilà tout. Je m'arrangerai de ce coup-ci avec le bon Dieu.

Elle a fait un signe de croix, because le blasphème.

— Nous irons! D'ailleurs, si nous n'y allons pas, les gens trouveront ça suspect. Et le vicaire viendra certainement voir ce qui se passe. N'oubliez pas que nos employés flairent déjà quelque chose...

Ce qu'elle disait n'était pas tellement idiot. J'ai réfléchi un instant. Vous ne pouvez pas imaginer l'effet que ça me faisait, ces trois femmes qui me regardaient fixement dès que je pensais...

— A quelle heure, la première messe?

— Six heures...

— D'accord... NOUS IRONS!

On va chercher bien loin des choses qui épatent ses semblables! Eh ben, là, ç'a été réussi. Leur stupéfaction a été telle que Sylvie n'a pu retenir sa question :

— Vous viendrez aussi?

— Pourquoi pas? Il y avait deux truands

76

de chaque côté du charpentier quand ils l'ont cloué sur les planches, non?

Elles en ont frémi. Mme Broussac y est allé d'un nouveau signe de croix.

— Vous êtes catholique? a balbutié la vieille dame, effarée.

— Je suis Italien, c'est tout dire!

— Et vous ne croyez pas en Dieu?

Elle avait des questions de bonne femme. Dieu? Y a qu'une vieille dame pour vous demander ça!

— Alors là, Madame Broussac, vous envoyez le bouchon un peu loin! Que voulez-vous que je vous réponde!

Elle n'a pas insisté.

Nous sommes montés nous coucher.

-:-

Je dors bien, mais comme tous les types dont le pedigree est chargé, un rien me réveille.

Dans le milieu de la nuit, mon sommeil a été interrompu par des petits chocs bizarres. Je me suis levé, sans allumer, et j'ai prêté l'oreille. Ça venait du dehors. J'ai immédiatement compris ce qui se passait : quelqu'un lançait des pierres dans des volets.

Le quelqu'un en question ne pouvait être que Maurice ; sinon on aurait appelé. Cette ordure se hasardait enfin à l'entrée de son terrier. C'était dans les persiennes de Jacqueline qu'il jetait ses pierres.

Je suis sorti dans le couloir, mon revolver à la main. Un rai de lumière a filtré sous la porte de la jeune fille. Elle se levait. Alors je suis entré. Je n'étais pas dans une tenue *ad hoc* : je portais en tout et pour tout un slip.

En me voyant surgir, presque à poil, avec mon pétard braqué, elle a eu un petit cri de frayeur.

J'ai mis un doigt sur mes lèvres.

— Ta gueule! Fais ce que je te dis...

Du doigt je lui ai désigné l'extérieur.

— C'est lui. Descends ouvrir... Et pas un mot où je te fous en l'air, vu?

Elle était en chemise. Une chemise de nuit longue, en toile, avec de la dentelle au col pour faire plus gai, ce qui n'enlevait pas grand-chose à son austérité.

Sur le palier, j'ai pensé que la clé de la porte était dans ma poche.

— Un instant, ai-je murmuré.

J'ai poussé Jacqueline dans ma chambre. A tâtons, j'ai fouillé ma veste. Quand j'ai eu récupéré la clé, je l'ai mise dans la main de la fille.

— Descendons...

Nous avons pris l'escalier. Je l'obligeais à

descendre les marches en même temps que moi pour éviter de multiplier les craquements.

— En arrivant en bas, n'éclaire pas, hein?

Je sentais son cœur qui cognait. Elle avait l'air de ne plus très bien savoir où elle en était.

Il faisait un clair de lune à tout casser et une lumière froide entrait par les vitres de la porte principale, projetant sur le mauvais carrelage les barreaux de protection en fer forgé. Je devais rester près de l'escalier pour éviter la lumière du ciel, sinon, en approchant, Maurice me verrait et décamperait.

Avant de lâcher Jacqueline, je l'ai prise par la taille. A travers sa chemise je sentais ses formes et sa chaleur. Elle s'est tortillée pour m'échapper, mais plus elle se tortillait plus je serrais. A la fin, elle s'est immobilisée pour éviter d'être étouffée par l'étau de mon bras.

— Écoute, ai-je chuchoté... Écoute...

Je parlais si bas que le bruit de son cœur affolé couvrait presque ma voix.

— Tu vas lui ouvrir... Lorsqu'il sera entré, tu refermeras la porte à clé, c'est tout. Si, avant d'entrer, il te pose des questions, dis-lui que tout le monde dort, d'accord? N'oublie pas que j'ai un revolver dans les pattes...

J'ai laissé retomber mon bras... Elle s'est approchée de l'entrée. Elle a ouvert le volet de verre

pratiqué dans la porte qui permettait l'aé-
ration du couloir.

— Qu'est-ce que c'est? a-t-elle questionné
doucement.

Une ombre a remué.

— C'est moi!

J'ai reconnu la voix de Maurice.

— Vas-t'en et ne reviens jamais? a lancé
Jacqueline. Lino est ici!

Elle avait parlé d'un ton étouffé, et cepen-
pant il m'a semblé qu'elle criait! Son alarme
emplissait tout le silence de la nuit.
Avant d'éprouver de la colère j'ai éprouvé de
la surprise. J'étais stupéfait. Pas qu'elle me
blouse : qu'elle m'ait appelé Lino. Je suis allé
en vitesse à la porte. Le temps de rentrer la clé
dans la serrure, d'ouvrir... La silhouette de
Maurice avait escaladé le mur. Je n'avais même
pas la ressource de lui placer mon chargeur à
distance...

Je suis rentré. Jacqueline courait à l'escalier
pour aller se barricader dans sa chambre. Je l'ai
attrapée sur la première marche. J'ai allongé
la main. Sous mes doigts il y a eu sa chemise de
nuit. J'ai tiré, elle a basculé en arrière et s'est
retenue à la rampe au dernier moment.

Je lui ai filé des claques à la volée. Ses yeux
se sont emplis de larmes.

— Salope, ai-je soupiré. Qu'est-ce qu'il faut

faire pour que tu comprennes? Je te jure que tu vas me payer ça!

J'ai levé les yeux. Mme Broussac se tenait sur le palier du premier. Elle aussi en chemise de nuit. Mais alors, le genre armure de toile!

— Espèce d'ignoble brute? a-t-elle crié.

— Ta gueule, la vieille!

Elle n'a même pas entendu. Elle dévalait l'escalier. J'ai reculé pour éviter d'avoir à lui mettre une pêche comme ç'aurait très bien pu se produire en cas de conflit! Elle a saisi sa Jacqueline par les épaules.

— Ma chérie! Ma chérie...

L'autre chialait, nerveusement. Les nerfs se détendaient après ce moment de suspense. Mes gifles l'avaient comme libérée.

— C'était Maurice, a-t-elle hoqueté.

— Seigneur!

— Je lui ai crié de se sauver parce qu'IL était là!

Mme Broussac a soupiré, puis un sourire radieux lui est venu sur les lèvres, sans qu'elle s'en doute.

— Tu as bien fait, ma chérie...

Moi, j'aurais cassé la cabane à coups de poing si je ne m'étais pas retenu.

— Faut pas croire que je me laisserai pigeonner jusqu'à la gauche par cette bon Dieu de famille! ai-je trépigné. Vous entendez, mes

vaches? Vous entendez? Je le foutrai en l'air
tout de même, votre fumier de gosse! Et si ça
n'est pas moi, y en aura d'autres qui le feront!
Des spécialistes!

J'étais tellement en colère que ça me faisait
mal par tout le corps. Comme lorsque vous avez
pris un méchant coup de froid et que la fièvre
allume son feu dans vos veines.

La môme Sylvie s'est amenée, éveillée par
l'algarade. Elle, dans sa roupane blanche, on
aurait dit un ange du ciel... A cause des cheveux blonds, sûrement. Cette vue m'a quelque
peu calmé.

— Allez hop, au lit!

Elles ne me l'ont pas fait dire deux fois. Un
vrai lâcher de colombes! Elles se sont enfermées
dans la chambre de la vieille... Deux heures plus
tard, je les entendais encore chuchoter. Pour les
faire taire, j'ai tabassé la cloison, comme le font
les voisins grincheux quand vous vous foutez au
piano après dix heures!

CHAPITRE VIII

INUTILE de vous dire que je n'ai pas refermé l'œil.

Ce qui venait de se produire allait avoir de graves conséquences. Pour moi, s'entend!

Vous pensez que Maurice, après avoir eu une nouvelle fois chaud aux plumes, allait attendre un sacré bout de temps avant de se manifester de nouveau. Max, qui commençait à voir rouge, passerait ses nerfs sur moi. J'avais toutes les chances du monde de me retrouver à la morgue avec des corps étrangers dans la viande... Cette perspective ne me souriait pas. Je savais bien que, dans mon métier, on ne vit jamais très vieux, mais ça m'ulcérait de payer pour ce sale morveux!

Sur le matin, quand le jour a tracé des barres claires dans les volets fermés, j'ai failli m'endormir. Mais ces dames se sont levées et je me suis souvenu de cette histoire de messe.

Elles y tenaient, décidément. J'ai eu du mal à me sortir du lit. Je me suis rasé avec des gestes mous...

Dans un sens, ça valait le coup d'œil. La famille Broussac femelles sur le sentier de l'Office, avec ses fringues du dimanche, ses livres de messe et ses chapelets truffés de gris-gris!

Quand j'ai débarqué, elles se tenaient toutes les trois dans le couloir près de la porte close.

Pas un mot, pas un regard.

Moi, posément, je suis allé boire un bol de café à la cuisine. Ensuite on s'est mis en route.

Pour tout dire, je ne me sentais pas très malin, avec mes trois pénitentes. J'avais remonté le col de mon imper et rabattu mon chapeau pour avoir l'air moins gourde. Tout de même, j'en avais sec.

Je me disais que si un jour je racontais cette histoire à mes potes de la rue des Abbesses, ils auraient du mal à croire que je m'étais farci une messe basse avec trois paroissiennes de province.

Et pourtant on est allé jusqu'à l'église, comme ça, elles trois serrées les unes contre les autres, et moi derrière, les mains aux poches...

A l'église, vous pensez bien, elles avaient leurs chaises avec leur nom écrit dessus au fer rouge. Je me suis placé au fond, près du bénitier. De là, je pouvais les surveiller.

Depuis ma Première Communion, à Napoli, je n'avais pas refoutu les pieds dans une église. C'était la première fois en tout cas que je pénétrais dans une église française... Celle-ci était vieille et intime. Elle ne faisait pas catacombes du tout. Au contraire, il y faisait jour comme dans une vraie maison. La lumière de l'extérieur jouait avec les dorures et mettait de la gaieté sur les statues coloriées.

Je me suis senti bien, comme lorsqu'on sort le matin, dans des bois et qu'il y a du soleil qui dégouline des arbres avec la rosée.

Je ne faisais pas attention à l'autel. Le curé marmonnait, flanqué d'un enfant de chœur mal réveillé. Ce qui retenait mon attention, c'était un grand tableau du rosaire représentant Jésus cloué sur sa croix. Il se dressait tout seul sur un ciel rouge et jaune... Le ciel semblait illimité. On n'apercevait rien de la terre. Cette croix sombre, avec juste le bon Dieu dessus! vous ne pouvez pas savoir l'allure que ça avait. Il me semblait, à force de la contempler, que le monde n'existait plus, et qu'il n'y avait plus que ce bon Dieu crucifié dans l'univers, le bon Dieu avec son linge noué à la hanche, son flanc ouvert, sa bouche morte et ses yeux fermés...

La question de la mère Broussac m'est revenue. Est-ce que j'y croyais? Tout môme, on m'avait appris le caté... en Italie. Un tas de bobards dont je ne me souvenais presque plus... Seulement la vie m'avait enseigné le contraire. Et ses cours particuliers, à celle-là, continuaient encore.

85

Sous le tableau qui me captivait, une plaque de marbre portait ces mots : « JE SERAI AVEC VOUS JUSQU'A LA FIN DU MONDE » (Évangile selon saint Matthieu).

J'ai regardé le tableau. Et alors, ça été comme si ce dessin était une photo... J'ai compris qu'il avait existé pour de bon ; que ce n'était pas de l'image d'Épinal, mais un fait réel...

Peut-être que ça n'avait été qu'un homme — rien qu'un homme et pas un Dieu — mais Il n'en était que plus sympathique dans le fond. Et le plus fort, c'est qu'Il avait tenu sa promesse : Il était toujours là, après deux mille ans... Tué par la connerie des hommes, et vivant encore à sa manière, à force de l'avoir voulu et à force de leur avoir voulu du bien!

Il me semblait qu'Il aurait compris ce que je ressentais. Moi, je ne savais pas très bien, mais Lui, il aurait su...

Peut-être que je pouvais lui adresser une prière? Personne ne le saurait, après tout!

J'ai fermé les yeux pour ne plus voir que ce que je pensais.

— Mon Dieu, faites que je retrouve ce salaud de Maurice!

Après je me suis senti soulagé.

C'est idiot, hein?

-:-

Quand la messe a été finie, on est passé par la rue commerçante. Mme Broussac a acheté un pot-au-feu, des choux, des carottes et du fromage... Puis on est rentré.

Comme on allait franchir la porte de l'atelier, j'ai aperçu un peu plus loin la Chevrolet noire de Max...

— Je vous rejoins, ai-je dit aux femmes.

Je me suis approché de la voiture dès qu'elles ont eu disparu.

Max se tenait au volant, son fume-cigarette d'or entre les dents. Il avait un costume bleu, une chemise blanche, un nœud papillon bleu à pois rouges et un chapeau beurre frais tout neuf. A ses côtés se tenait Charly, son garde du corps, un garçon imprésentable qui avait servi de punching-ball vivant à trois générations de boxeurs. Max se donnait des allures de caïd américain en trimbalant cet épouvantail partout où il allait.

— Salut, Lino!

Je me suis efforcé de sourire.

— Tiens, quelle idée!

— T'as du nouveau? a-t-il tranché.

— Dans un sens, oui! Maurice s'est amené cette nuit...

— Voyez-vous! Et alors?

— Une de ses frangines l'a mis au parfum avant que je puisse intervenir.

— Voyez-vous!

Je l'aurais giflé! Il avait une gueule en lame de rasoir, avec des yeux de rat, bordés de rouge. Sa bouche sans lèvres avait l'air d'un coup de couteau mal guéri.

— Ça nous prouve en tout cas qu'il avait dit vrai : les diams sont ici.

— Et tu ne les as toujours pas trouvés?

— Si j'avais trouvé quelque chose, tu l'aurais déjà, Max. Tu ne penses pourtant pas que je vais me goinfrer dans votre dos?

Il a vu que j'étais sur le point de faire un éclat et comme il ne voulait pas ça, il a préféré écraser le coup.

— Je n'ai pas dit ça, seulement il faut en finir, Lino! Tu comprends bien que ça ne peut plus durer... Voilà trois fois qu'il te possède, ce chéri! A Nice pour le hold up, en Italie et... cette nuit! Comment tu expliques ça?

— J'ai rien à expliquer, Max... Tout ce que je sais, c'est que les cailloux sont là. Tant que j'y serai aussi, on ne nous les fauchera pas!

— Tu peux faire manœuvrer tes méninges pour essayer de les repiquer? J'ai preneur en ce moment... A bon prix... Et puis les autres renaudent, tu t'en doutes?

— J'essaie. Seulement, il connaissait mieux la taule que moi et il a dû trouver une cachette soi-soi!

Max a ôté son fume-cigarette. Avec son épingle

de cravate il a retiré le mégot du petit tube d'or, puis, posément, avec l'unique intention de m'agacer, il l'a remplacé par une nouvelle cigarette.

— Écoute, Lino, soyons justes, il n'y a que dans les contes de fées qu'on voit des planques magiques. Tu ne me feras pas croire...

Je me suis accoudé à sa portière.

— Prends ma place si ça te dit, Max!

Il a haussé les épaules.

— Bon ; cherche encore... Seulement si tu n'as rien trouvé d'ici demain, il faudra qu'on envisage autre chose...

Ce type, c'était cinéma et consort. Il a actionné son démarreur, puis avant de partir, a allumé sa cigarette neuve.

— C'est le chat de la maison qui t'a griffé, Lino ? m'a-t-il demandé en rejetant la première bouffée.

— Il n'y a pas de chat. Il n'y a que des tigresses ici.

— Surveille tes yeux. Tu aurais bonne mine avec une canne blanche. Bon, je me sauve. Je te tiendrai au courant de mes idées...

— C'est ça! Bye!

Il est enfin parti. J'ai regardé s'éloigner la voiture en regrettant de m'être mis en cheville avec ce mec.

CHAPITRE IX

EN rentrant, je n'étais pas des plus fiers. Car enfin, il avait raison, Max : nous nous trouvions dans une impasse maintenant. Jusqu'à cette nuit, il était normal d'escompter le retour de Maurice, à cause des bijoux à récupérer, mais maintenant qu'il savait que nous faisions le siège de la maison, il renoncerait au magot...

Je me suis arrêté dans l'atelier désert. Une sarabande de masques riaient de ma déconfiture... Des poussières frissonnaient dans un large rayon de soleil... Tout était calme, d'un calme épais comme le soleil. Il n'y avait que du silence autour de moi, à peine troublé par le bruit des arbres traversés par la petite brise du matin. Au loin, les cloches appelaient pour d'autres messes. J'ai repensé au Christ crucifié sur le ciel pourpre, là-bas, dans l'église... Il en avait salement bavé, lui aussi. Et pourtant Il était allé jusqu'au bout. Non, je me gourais en estimant que la peur serait bonne conseillère pour Maurice. On n'oublie pas un paquet de millions quand on est un filou. Il irait jusqu'au bout également... L'incertitude devait lui ronger le crâne. Il se demandait si j'avais récupéré les diams ou pas.

Je devais réfléchir. Me demander par exemple ce que je ferais EN CE MOMENT si j'étais à la place de Maurice...

J'ai allumé une cigarette bien qu'un grand écriteau moisi interdît de fumer. Après tout, le vieux Victor était le premier à s'en ficher.

Voyons... Je n'avais pas répondu à ma question... Si j'étais à la place de cette lope... Si j'étais à sa place... Oui, eh bien, je me planquerais dans les environs jusqu'à ce que j'aperçoive ma mère ou l'une de mes sœurs... Voilà. Je m'assurerais qu'elle n'est pas filée... Et puis je l'aborderais pour lui expliquer où j'ai planqué les bijoux et je lui demanderais d'aller me les chercher... Exactement!

J'ai pris un morceau de carton recouvert d'un enduit, je l'ai mis sous la presse à masque ; j'ai appuyé sur la pédale... C'était encore la frime de Paul Reynaud, mais je l'avais mal centrée et ça changeait la forme de son visage... On eût dit qu'il venait d'avoir un accident.

Je suis revenu à ma conférence personnelle.

Il fallait pousser le jeu des « Si ». Supposons que Maurice ait eu cette idée et qu'il parvienne à contacter l'une des trois femmes. Que se passerait-il ? Maintenant que je croyais les connaître à peu près, une pensée absurde me venait : si Mme Broussac, Jacqueline ou Sylvie apprenaient où se trouvait le magot, ça n'est pas à Maurice qu'elles le remettraient, mais à moi. Elles essaieraient de négocier la peau du salopard!

En aucun cas elles ne seraient ses complices... Et cela, Maurice ne pouvait pas ne pas le savoir!

Alors mon raisonnement ne tenait pas debout!

La porte du fond a grincé, Sylvie est entrée. Elle avait changé ses fringues maussades du dimanche contre une tenue de tous les jours qui lui allait beaucoup mieux.

— Ah! vous êtes là!

Qu'est-ce qui lui prenait de me parler, tout à coup? Ça cachait quoi?

— Et alors, je dérange?

— Qu'est-ce que vous faites?

J'ai montré le masque raté.

— Mon apprentissage!

— Vous voulez redevenir honnête?

— Je ne l'ai jamais été!

— Eh bien, à plus forte raison, ce serait amusant d'essayer!

— Amusant, c'est vous qui le dites!

Je n'aurais pas dû badiner. C'était mon autorité qui en prenait un coup, et Dieu sait que j'avais besoin d'elle, plus que jamais. Pourtant ce dimanche me rendait tout mou... Ce dimanche et ma nuit d'insomnie, probable!

92

— Pourquoi n'essayeriez-vous pas?

J'avais déjà oublié de quoi il retournait.

— Essayer quoi?

— Mais d'être honnête!

Je l'ai considérée d'un œil comateux.

— Qu'est-ce qui vous arrive, c'est un nouveau jeu de société?

— Je suis sûre que vous êtes moins mauvais que vous en avez l'air!

Alors, là, je me suis mis à rire. C'était vraiment drôle. Elle ne m'avait jamais vu au travail, cette gosse, pour parler ainsi. Dans le milieu, j'étais réputé précisément pour ma férocité... A mes débuts, je péchais par excès de violence... Ça avait même failli me jouer des tours...

— Qu'est-ce qui vous fait dire ça, Sylvie?

— C'est tout à l'heure, à la messe.

— Quoi, à la messe?

— A un moment donné, je me suis retournée pour voir où vous étiez...

— Ah oui?

— Vous aviez les yeux fermés et une larme coulait sur votre joue!

Je lui ai sauté sur le poil. Elle a eu peur. Je parie qu'en une seconde elle a révisé son jugement en ce qui me concernait.

— Moi! Une larme! ai-je crié. Dis, où as-tu pris ça, espèce de petite conne!

Elle me regardait fixement, sentant que c'était

son unique moyen de défense. Si elle avait détourné les yeux elle n'aurait pas coupé d'une paire de taloches tout comme sa frangine, cette nuit.

— Tu es complètement dingue! J'ai jamais pleuré, tu entends... Même lorsque j'étais tout gosse et que des gens me cognaient! Jamais! C'est pas digne d'un homme! J'aurais honte d'exister si jamais je versais une seule larme, une seule, tu m'entends?

Je l'ai lâchée. Elle a reculé un peu. Il y avait toujours ses yeux bleus, béants, en face de moi A force de les fixer, je ne voyais plus qu'eux et ça me faisait comme lorsqu'on est couché dans l'herbe, l'été, et qu'on se gave de ciel.

— Excusez-moi, j'ai dû me tromper.

— Et comment!

Bravache, elle a lancé, prenant ses risques :

— En tout cas, vous gardiez les yeux fermés!

— Naturellement : j'ai pas dormi de la nuit!

— Ah bon...

Elle paraissait vaguement déçue... Elle a arrangé ses cheveux. Je ne sais pas comment se débrouillent les femmes pour s'apercevoir, sans glace, qu'elles ont trois cheveux en désordre...

— Quel âge avez-vous? a-t-elle demandé.

— Trente-trois ans!

Elle a souri.

— L'âge du Christ!

Curieux qu'elle me sorte ça un jour que je réfléchissais sur le charpentier, hein?

— Il n'a pas eu que trentre-trois ans tout de même! ai-je objecté finement. Il en a eu aussi trente-deux autres!

— Il les a eus *pour* en avoir trentre-trois!

C'était trop calé pour moi.

— Vous m'emmerdez avec vos bêtises...

Je suis allé dans le jardin. Il était plein d'une lumière verte, très pure et très fragile. Il sentait bon...

J'ai respiré plusieurs fois, à fond, pour m'aérer l'intérieur.

Sylvie était de nouveau près de moi. Jusque-là, elle m'avait fui comme la peste, et voilà que soudain elle jouait les caniches... Est-ce que ça ne cachait pas un piège?

— Pourquoi laissez-vous le jardin en friche? lui ai-je demandé.

— Il n'y a pas d'homme ici, pour le faire...

— Vous n'en trouvez pas, à la journée?

— Si, au début on a pris quelqu'un... Et puis Maurice a eu une vilaine histoire dont les journaux ont parlé. Il est passé en correctionnelle pour chèque sans provision et usage de faux... Alors tout le monde nous a laissé tomber... C'est ça, la province...

Elle était amère. Maurice les avait ruinées... Ses frangines maintenant pouvaient toujours se serrer la ceinture pour ce qui était de lever un époux dans le bled.

— Comment l'avez-vous connu?

— Qui? ai-je soupiré en regardant des petits oiseaux faire de l'esbrouffe dans les arbres.

— Mon frère.

— Aux courses... A Longchamp...

— Racontez?

J'ai compris qu'elle me posait les questions qui devaient ronger ces dames depuis mon arrivée.

— Comme il était fauché, il avait pensé se refaire aux courses...

— Se refaire?

— Se refaire du fric, quoi!

— Bon. Et puis?

— Et puis il a perdu. Quand on a la cerise, c'est pas à Longchamp qu'il faut aller. Alors cet idiot a voulu se faire le sac à main d'une élégante...

— Comment, se faire le sac à main?

— Le voler!

— Oh!

Elle était choquée! D'ailleurs, je le reconnais, c'était choquant. Être quelque part, à Fousy-les-Oies, le fils d'un petit industriel... Avoir un caveau de famille, des chaises gravées à son nom à l'église et faucher des sacs à main, ça dégradait!

— Il s'y prenait comme un idiot! Je l'ai vu

faire. Alors je l'ai abordé. Je me suis amusé à lui ficher la frousse en lui faisant croire que j'étais un flic... Ensuite, on est allé boire un coup et...

— Et?

— Et je lui ai trouvé du travail.

— Quel travail?

— Dites donc, Sylvie, vous êtes bigrement curieuse, ce matin, qu'est-ce que ça veut dire?

Nous sommes rentrés. Une bizarre angoisse m'étreignait. Je crois que cette journée dominicale qui ne faisait que commencer m'épouvantait. J'allais me faire tartir avec ces trois femmes.

Si au moins la vieille n'avait pas été là, j'aurais pu prendre du bon temps avec les filles.

-:-

Jacqueline ne m'avait toujours pas pardonné les gifles de la nuit. Sa mère non plus, d'ailleurs. Et maintenant que nous nous trouvions réunis, Sylvie n'osait plus me parler.

Il y avait de l'électricité dans l'air. Le moindre bruit nous faisait sursauter...

Jacqueline et Sylvie ont épluché les légumes pour le pot-au-feu. Leur mère tournait dans la cuisine, comme une âme en peine. Moi, j'allais d'un fauteuil à l'autre, essayant de lire. «Le Pèlerin»

Mais je ne pouvais déchiffrer les lettres noires qui grouillaient devant moi.

Le farniente me faisait bouillir. D'avoir revu Max et son boy-scout, ça m'avait flanqué la nostalgie de l'action. Je n'allais pas m'enraciner dans cette maison bourgeoise, avec cette vieille dame et ses filles. Il fallait que je m'arrache de là avant d'y avoir pris goût! Je n'allais pas sombrer dans la tasse de thé et la bouillotte!

Ma décision a été vite prise. J'ai sauté sur mes jambes et frappé dans mes mains en criant :

— Rassemblement! Venez par ici toutes les trois!

Il y a eu des chuchotements dans la cuisine, et elles ont fini par rappliquer.

— Écoutez, ai-je attaqué après les avoir bien dévisagées. Je vais vous faire une proposition honnête.

— Vous! a laissé tomber Jacqueline, méprisante.

— Oh, ça va, hein? Vous ferez de l'esprit plus tard!

Je n'avais pas envie de crier.

— Aidez-moi à retrouver les bijoux!

Elles ont cru que je plaisantais. Seulement mon regard a eu vite fait de les détromper.

— Quand je les aurai, je décamperai, ai-je ajouté...

— Je croyais que vous aviez cherché partout? a murmuré Mme Broussac.

— En effet!

— Eh bien, alors, que pouvons-nous de plus?

— Les grandes astuces sortent toujours des petits crânes. Vous connaissez mieux la maison que moi. Maurice y a été môme... Quand on est enfant, on s'amuse à trouver des cachettes astucieuses...

Elles se sont regardées, indécises.

— Vous aimeriez me voir filer, je suppose? Tant que les bijoux seront ici, je resterai, et Maurice essayera de venir les récupérer. Vous avez bougrement intérêt à ce que je les trouve, non?

— C'est entendu, a soupiré Mme Broussac. Nous allons les chercher...

— Bon. Alors, au travail...

CHAPITRE X

POUR du travail, ç'a été du travail. Quasi scientifique!

Nous sommes montés tout d'abord au grenier, et nous avons tout exploré, centimètre par centimètre : les meubles, les murs, les plafonds, les planchers. Puis nous sommes redescendus en passant de chambre en chambre...

Elles s'intéressaient à ce travail... Une espèce de sombre fureur les animait. Elles voulaient en finir... Pour cela, elles devaient découvrir une poignée de bijoux...

Nous avons visité le rez-de-chaussée... Bureau, salle à manger, cuisine, cabinet de toilette, débarras...

Ensuite la cave...

Au fur et à mesure que se rapetissait notre champ d'exploration, je sentais que Maurice était plus malin que nous quatre réunis.

S'il était revenu chez sa mère, c'est qu'il savait qu'il existait dans la vieille demeure une planque introuvable! Une planque lui permettant de dormir sur ses deux oreilles...

Nos recherches ont duré trois heures. Il était une heure de l'après-midi lorsque nous avons eu terminé. Nous étions fatigués par ces piétinements, ces allées et venues...

J'étais furieux.

— C'est bon, ai-je déclaré, puisque c'est ainsi, attendons.

Elles avaient des figures plutôt moroses, ces dames.

Tout à coup, comme nous allions passer à table, Sylvie a fait claquer ses doigts.

— J'ai une idée!

— Qu'est-ce que c'est?

— Venez avec moi!

Je l'ai suivie à la cave.

Il faut vous dire que le sous-sol était divisé en trois compartiments. Il y avait la cave à vin, à un niveau inférieur aux deux autres compartiments. Puis la cave à charbon où se trouvait la chaudière, enfin une sorte de réserve où l'on entreposait les légumes...

La cave à charbon était fermée par une porte de fer... Sylvie a tiré le verrou et elle est entrée. J'étais intrigué... d'autant plus que nous venions justement d'explorer cet endroit.

— Alors, cette idée?

— Le charbon?

— Quoi ?

— Sous le charbon il existe une trappe de fer. Elle masque une niche qui contenait l'ancien compteur d'eau.

L'idée était plus que bonne.

— Dites, c'est formidable !

J'ai empoigné la pelle servant à charger la chaudière et je me suis transformé en soutier.

A la quatrième pelletée, un gros bruit m'a fait sursauter... C'était la porte de fer qui venait de le produire en se refermant. Le verrou hâtivement tiré a miaulé.

J'ai gagné la porte pour essayer de la repousser. C'est un geste qu'on fait toujours en pareil cas, même en comprenant qu'il est inutile.

J'étais bel et bien prisonnier. La petite garce m'avait possédé dans les grandes largeurs. Le bruit de ses talons dans l'escalier de la cave a décru...

Après un haussement d'épaules, je me suis remis au travail. Il fallait procéder par ordre ; et avant tout vérifier si cette histoire de trappe était vraie.

Après une heure d'effort, je me suis aperçu qu'elle ne l'était pas. Sylvie m'avait raconté ça uniquement pour pouvoir m'emprisonner.

J'étais bien trop en colère pour me laisser aller à un éclat quelconque... Je me méprisais cordialement. M'être laissé manœuvrer par ces femmes, après que le fils m'eût possédé, voilà qui portait un coup grave à mon standing!

Je me suis assis sur un billot de bois pour réfléchir. Alors une ombre est venue me bouffer le jour tombant du soupirail. J'ai regardé, c'était Mme Broussac.

— Monsieur Lino! a-t-elle appelé.

— Oui?

— Je... Ma fille cadette vous a fait une farce...

Elles avaient fait le tour de la situation et compris qu'elles étaient trop chétives pour garder un tigre prisonnier. Ça les menait où? A rien... Elles savaient que dehors j'avais des complices. Des complices que ma disparition inquiéterait.

— Vous m'entendez?

— Bien sûr...

— Il faut la comprendre ; elle a pris peur et...

— Finissez vos salades et ouvrez si vous en avez l'intention? ai-je rétorqué.

Mon calme l'impressionnait.

— J'espère que vous ne lui en tiendrez pas rigueur... Je...

Les Bourgeois de Calais, quoi! On me ramenait les clés de la taule! En chemise si je l'exigeais, et la corde au cou.

— Écoutez, chère madame, je n'ai pas envie de parler. Encore une fois ouvrez... sinon j'agirai...

D'autres ombres remuaient, à l'arrière-plan,

celles des deux filles. Elles n'osaient pas se montrer. C'était la mère, une fois de plus, qui encaissait le sale turbin. Son vieux visage ridé, anxieux, navré, était plaqué contre la rose de fer barrant le soupirail.

— Si vous tardez, Madame Broussac, vous savez ce que je vais faire? Non?

Je devenais franchement sadique ; j'avais besoin de lui foutre la trouille bien à fond, de la saccager.

— Je vais me mettre à charger la chaudière, Mme Broussac. Je laisserai la porte du cendrier ouverte et je vous promets que la température grimpera dans les pièces... Jusqu'à ce que votre installation pète et que ça inonde la maison...

Elles ont quitté le soupirail.

J'ai entendu leurs pas dans l'escalier. Le verrou a grincé comme une lame de scie qui rencontre un clou.

Elles étaient là, toutes les trois, serrées, peureuses, indivisibles.

Il n'y a pas eu un mot. Sylvie se planquait derrière les deux autres, s'attendant à prendre des coups.

J'ai souri.

— Pas la peine de vous cacher, moustique. On réglera ça plus tard. La vengeance est meilleure froide! Allez, à table!

-:-

Le plus drôle, c'est qu'elles n'avaient pas osé déjeuner sans moi. Des idiotes, je vous dis!

Le pot-au-feu s'effilochait comme des semelles d'espadrilles usées. C'était plutôt de la bouillie de viande et de légumes. Je l'ai mangée néanmoins de bon appétit. J'avais mon sale rire plaqué sur le visage. De temps à autre, je l'apercevais dans la grande glace de la salle à manger. J'essayais de le chasser, mais il revenait, telle une mouche obstinée. Ce rictus, je l'ai toujours quand ça bouillonne en moi.

Elles n'osaient plus proférer un son et elles avaient du mal à avaler la boustifaille. Après le repas, comme d'habitude, les filles ont débarrassé la table et leur mère est allée tricoter, près de la fenêtre, son long truc noir qui n'en finissait plus et qui me faisait penser à un corbillard.

— Je vous remercie, a-t-elle bégayé sans me regarder...

— Pourquoi?

— De... de votre indulgence...

— Ne me remerciez pas trop vite!

— Qu'est-ce que?

Je n'ai pas répondu. Je suis sorti fumer une cigarette dans le jardin. Je cherchais quelque chose de carabiné pour me soulager. Quelque chose de terrible! Je sentais que si je ne trouvais pas très vite, j'allais tout briser pour me remettre les nerfs en place.

Drôle de dimanche...

A la deuxième cigarette, j'ai eu la grosse trouvaille. Je suis revenu dans la maison. Mme Broussac et Sylvie étaient installées à la table de la salle à manger, sur laquelle on avait mis la nappe en nylon. Elles faisaient une partie de dames. Jacqueline était en haut... Dans sa chambre. Le dimanche. ces dames ne faisaient aucun travail, hormis les repas. Elles s'emmerdaient gentiment, entre elles histoire de glorifier le jour du Seigneur.

J'ai gravi l'escalier sans bruit. Parvenu devant la chambre de Jacqueline, j'ai prêté l'oreille. Je percevais un bruissement d'étoffe. J'ai essayé de regarder par le trou de la serrure mais la clé était engagée dedans. Alors j'ai frappé, doucement.

— Oui?

— C'est moi, Lino...

— Que voulez-vous?

— J'ai à vous parler, ouvrez vite!

— Non!

— Comme vous voudrez... Votre mère vient de se trouver mal.

J'ai attendu. Elle avait compris que c'était là un mensonge. Seulement, le doute faisait son chemin dans sa petite tête. Une minute plus tard, la clé tournait, la porte s'entrouvrait et son visage grave se montrait dans l'encadrement. J'ai donné dans la porte une bourrade qui a culbuté Jacqueline. Je suis entré, j'ai refermé à clé et mis la clé dans ma poche.

Elle était en robe de chambre... Son regard clair ressemblait à celui d'un animal sauvage.

— Que voulez-vous...

— Une petite proposition à vous faire...

Elle a attendu.

— Je suis un homme à femmes, moi, mon petit. Depuis plusieurs jours je fais tintin et ça ne peut plus durer... Faut comprendre la vie... Pour punir ta sœur du vilain tour de ce matin, j'ai dans l'idée de lui donner la faveur... de mes faveurs!

» Si on peut appeler ça une punition! »

A cet instant, je crois que je lui ai fait horreur. Pour elle, c'était brusquement le bout de la nuit. Je m'amusais comme un petit fou, parce que je vois la vie sous son vrai jour. Je sais l'importance qu'il convient d'accorder aux choses. Qu'est-ce que c'est qu'un coup d'amour? Quelques minutes d'extase, un point c'est tout! Et la virginité, qu'est-ce que c'est? Un état provisoire... Il n'y a que les petites bourgeoises de cambrousse pour y attacher de l'importance...

— Vous n'allez pas faire une chose pareille!

— Justement, je viens te demander conseil,

ma gosse! Qui est-ce que je saute? Ta sœur...
ou toi?

Elle a commencé à reculer. Elle s'est blottie
au fond de la chambre, dans une encoignure.
Je suis resté où j'étais. J'avais tout mon temps.

— Ne fais pas de théâtre, Jacqueline... Et ré-
ponds-moi : ta sœur ou toi? Il m'en faut une, et
je te laisse le choix! Avec la petite, ce serait plus
marrant. Avec toi... plus intéressant... C'est pourquoi je n'arrive pas à me décider...

CHAPITRE XI

En fait de théâtre, c'est plutôt moi qui en faisais. Parce que, enfin, faire du théâtre, c'est feindre des sentiments qu'on n'éprouve pas. En ce moment, je n'avais pas envie de Jacqueline. Ni de Jacqueline ni de Sylvie. J'étais trop bouillonnant de rage, trop humilié pour penser à l'amour.

Je jouais le méchant soudard qui veut passer tout le monde à la casserole et foutre le feu à la maison. Le régime de la terre brûlée. Dans un sens, c'est la seconde solution qui m'aurait le plus soulagé, je crois bien.

En la voyant, blanche d'effroi, dans son coin de mur, j'ai eu mal derrière la tête. Oui, ça m'a fait comme l'arrivée d'une migraine après qu'on a avalé le verre de gnole de trop. Pire qu'une migraine même : un étourdissement. Cette vie chez les trois femmes devenait impossible. Moi, j'étais fait pour la bagarre. Ça m'allait de foncer en avant, les poings durs comme du béton ; ou bien de dé-

gainer mon feu pour mettre en l'air un adver-
saire... Mais mijoter comme ça, dans cette baraque
de province, avec une vieille dame bigote, et des
pucelles peureuses... Non! Non!

Je me suis assis au pied du lit. J'ai mis mon bras
sur le montant de cuivre et ma tête sur mon bras...
La douleur qui me tambourinait la base du crâne
se faisait plus forte et, dans le noir de mes paupières
baissées, je voyais tournoyer des comètes de feu...

Je ne sais pas combien de temps s'est écoulé
ainsi. Le silence avait repris. Un silence de dimanche après-midi, pareil à une espèce d'agonie.

A la fin, Jacqueline s'est approchée de moi.
Elle a chuchoté, très bas :

— Qu'avez-vous ?

Je n'ai pas pu répondre. D'ailleurs, répondre
quoi ? Qu'est-ce j'avais au juste ? L'existence me
faisait mal, voilà tout, est-ce qu'on explique un
truc comme ça ?

Elle a fait encore un pas. Je l'ai sentie tout près
de moi, à cause de la chaleur qu'elle me commu-
niquait. Elle a mis sa main dans mes cheveux
épais. J'ai eu honte de leur épaisseur à ce moment-
là. Parfaitement, la caresse de Jacqueline m'a
fait comprendre que c'étaient des cheveux de
voyou, raides, serrés, huileux comme de la laine
de mouton.

— Dites, Lino...

J'ai fait un effort pour relever la tête. Son visage avait changé. Maintenant elle n'avait plus peur.

— Dites, Lino... J'ai l'impression que vous êtes malheureux.

Jamais personne ne m'avait dit ça...

J'ai murmuré :

— Malheureux ?

Qu'est-ce que ça signifiait ? Malheureux ? Mais non, je ne l'étais pas... Enervé, oui, sûrement... Mais malheureux, non! Pourquoi aurais-je été malheureux, d'abord ?

— Il y a en vous quelque chose de triste. On ne le comprend pas tout de suite parce que vous avez l'air dur et méchant...

J'aurais voulu l'envoyer promener. Dans le fond, elles étaient pareilles, les deux sœurs : il leur fallait du roman bleu coûte que coûte!

— Foutez-moi la paix!

Je suis parvenu à me lever et à sortir de la chambre. Dans l'escalier, mon mal de crâne s'est fait plus lourd. Il m'entraînait en avant comme si j'avais eu une énorme boule de plomb à la place de la tête.

Dans la salle à manger, la partie de dames faisait rage! Pour une partie de dames, c'était vraiment une partie de dames! Elles jouaient avec application, Sylvie et la vieille, surveillant leurs pions gravement, avec des mines de radin comptant son fric.

Sylvie a gagné. Mme Broussac a eu l'air contente non d'avoir perdu, mais que la partie fût finie.

— Tu veux en faire une autre? a-t-elle proposé pourtant.

— Non, maman, je reste sur ma victoire.

Je venais de m'asseoir dans le grand fauteuil.

— Vous avez de l'aspirine? ai-je demandé à la môme.

Elle a osé me regarder. Ses yeux se sont rassurés devant ma mine déjetée.

— Vous êtes malade?

— J'ai mal au crâne. Donnez-moi deux cachets! J'ai ricané :

— Ou de la poudre à doryphore si ça vous chante! Avec vous... est-ce qu'on sait?

Elle était si jeune! Elle a éclaté de rire. Mme Broussac a frémi et s'est dépêchée de dire :

— Je vais vous préparer ça...

Depuis la cuisine, elle a crié :

— Vous voulez du sucre avec?

— Un peu, oui...

Pendant sa courte absence, Sylvie a remis les pions dans les petits tiroirs du damier. Elle paraissait très détendue.

— Tenez, avalez, a dit Mme Broussac.

J'ai regardé le verre.

Elle n'allait pas me farcir, la vieille?

J'ai goûté. C'était bien de l'aspirine...

— Vous savez, maman n'a jamais empoisonné personne, a déclaré Sylvie.

Jacqueline est revenue après s'être mis un soupçon de poudre de riz sur le museau.

Je me suis décidé à boire. Tant pis si on me jouait un nouveau tour!

— Quand la gosse m'a enfermé, ce matin, laquelle de vous a eu l'idée de me délivrer?

Elles ont été surprises par la question; moi aussi, du reste. Elle m'était venue spontanément

— C'est Jacqueline, a répondu bravement. Sylvie...

— Ah?

— Elle a trouvé que ce n'était pas une solution...

— Elle avait raison.

— Maman a été du même avis... Et moi aussi!

— Pas possible!

— Si...

— J'aimerais savoir ce qui vous est passé par la tête?

— Oh! Je ne sais pas... J'ai cru... des choses?

— Lesquelles?

— Des choses... Vous ne pouvez pas comprendre.

— Je crois que si...

Elle a quitté sa mine d'enfant morigénée. Son minois triangulaire s'est animé.

— Eh bien, dites, pour voir...

— Voyons, Sylvie! l'a réprimandée Mme Broussac qui redoutait un coup de Trafalgar.

Je me suis penché en avant, les mains jointes entre mes jambes.

— Vous n'avez même pas pensé me livrer à la police...

— En effet.

— Ce que vous avez voulu, ç'a été me neutraliser, simplement. M'empêcher, ne fût-ce qu'un moment, d'être le maître de cette maison... C'est pas vrai?

Sylvie est restée sans voix. Puis elle s'est tournée vers sa sœur.

— Il est intelligent! s'est-elle exclamée...

— Voyons, Sylvie! a laissé tomber Mme Broussac, toujours sur le qui-vive.

Dans le fond, je venais de reprendre le dessus sans douleur. Maintenant, je n'avais plus mal à la tête. Je reprenais confiance en moi. En somme, j'étais tout simplement en train de les battre sur leur propre terrain : le boniment.

Nous avons eu une grande plage de silence. Nous n'avions plus rien à nous dire... Jacqueline a pris un ouvrage de tapisserie, comme on voit faire au cinéma. C'était fixé sur un cadre en bois et ça représentait un paysage hollandais. On voyait un canal, un moulin à vent, un petit pont. Et sur le petit pont, une dame en costume national, tenant deux seaux de lait soutenus par un bâton

posé en travers de ses épaules. Dans la partie
garnie de coton, ça faisait doux et c'était joli...
Dans celle qui restait à tisser, il y avait le complé-
ment du dessin, seulement on voyait le jour à
travers... Sylvie a pris une partition. La mère a
mis des lunettes et a attaqué *le Pèlerin*. Je n'ai
pas pu m'empêcher de songer à ce temps fichu
qu'elles usaient bêtement, à faire des choses in-
consistantes...

— C'est comme ça tous les dimanches? ai-je
questionné au bout d'un long moment d'obser-
vation.

— Pourquoi? a questionné Mme Broussac.

— Je me demandais souvent ce que les bourgeois pouvaient bien foutre, le dimanche, chez
eux, derrière leurs volets... Maintenant je le sais...
Je me demande comment vous arrivez à ne pas
vous embêter!

C'était peut-être à cause de ces dimanches-là
qu'il était parti, Maurice?

— Mais, nous ne nous ennuyons pas! s'est in-
dignée Mme Broussac.

— Vous peut-être, mais vos filles?

Jacqueline et Sylvie ont rougi.

— Nous non plus, a affirmé précipitamment
l'aînée. En voilà une idée! Vous nous jugez d'après
votre tempérament! Au contraire, cette existence
est envoûtante... Nous... Nous sommes bien,
n'est-ce pas, Sylvie?

115

— Très bien! a renchéri la cadette.

Je suis parti d'un violent éclat de rire.

— Violon, tapisseries en tous genres, cuisine, emballage de masques! Vous parlez d'un idéal!

Elle a bien senti, la vieille dame, que je faisais le procès de son fils, mine de rien.

— Voyez-vous, Monsieur, a-t-elle déclaré, le sens de la famille, c'est comme la foi : on le possède ou on ne le possède pas! Avez-vous eu une famille?

— Pardi, j'en ai même eu plusieurs! Mon enfance, ç'a été une partie de rugby. Naturellement, je faisais le ballon!

Elles avaient envie de mon histoire, alors je leur ai fait un petit résumé.

— Je suis né de père inconnu... y compris de ma mère... Quant à elle, parlons-en! Si vous pouvez me citer une maternité de Naples qu'elle n'ait pas faite, je vous paie des prunes. C'est pas croyable ce qu'elle était féconde, cette femme-là! Avec ce que je dois avoir comme frères et sœurs on pourrait monter un syndicat. Le syndicat des enfants de putain! Pourquoi n'existe-t-il pas encore, hein? Et pourtant, j'ai eu la chance d'être dans les aînés... Au début, la grand-mère nous a recueillis... Seulement quand elle a vu que la production continuait à un rythme accéléré, elle en a eu classe et nous a casé chez l'habitant... C'était fatal...

A travers mes paroles, je revoyais tout ça ; mon enfance dans les ruelles de Naples... Je reniflais l'odeur de safran qui flotte dans l'air, là-bas...

— Napoli, ai-je soupiré... Dire que ça fait rêver des tas de gens! Voir Naples et mourir... Tu parles! Moi, quand je vois le Vésuve sur une affiche, j'ai envie d'y foutre le feu!

Après mon boniment je les ai regardées. Mme Broussac pleurait, Jacqueline aussi. Sylvie tortillait sa partition entre ses doigts délicats de musicienne. Elle la transformait en cornet, en flûte... Nerveusement.

La vieille a quitté sa chaise. Elle s'est approchée de moi, m'a regardé de très près, puis elle a dit, très vite :

— Mon pauvre petit! Mon pauvre petit!

Ensuite, elle a grimpé dans sa chambre afin de prier pour l'humanité, je pense.

Moi j'étais soufflé.

Me dire « mon pauvre petit », à moi!

Ah! je vous jure...

CHAPITRE XII

Cette nuit-là, j'ai été de nouveau réveillé. Pas par quelqu'un qui voulait faire doucement, mais par quelqu'un, au contraire, qui me réclamait impérieusement. Des coups de klaxon répétés... J'ai tout de suite reconnu la bagnole de Max. C'était bien le bruit bizarre de sa corne de route. Un son filé, métallique...

Que me voulait-il encore, celui-là, à pareille heure ? Peut-être avait-il des nouvelles de Maurice ?

J'ai mis un pantalon et je suis descendu. Comme je passais devant la chambre de Jacqueline, cette dernière a entrebâillé sa porte.

— Que se passe-t-il ?

— Ne vous tracassez pas. Des amis à moi!

La nuit sentait le foin. Il y avait clair de lune, et des étoiles d'un bout à l'autre du ciel.

L'auto de Max était stoppée dans la ruelle. Il était descendu de son siège et fumait, adossé à l'aile avant. De temps en temps, il faisait tomber la cendre de sa cigarette en la raclant contre l'antenne de la radio.

— Ah! tout de même, a-t-il fait en me voyant déboucher de l'atelier... J'avais dans l'idée que tu n'étais plus là!

— Tu as de drôles d'idées, Max...

— J'en ai toujours eu, j'en aurai toujours, on ne se refait pas! Déjà au dodo, Lino?

Je me suis gratté le crâne. J'étais tout poisseux de sommeil.

— Quelle heure est-il?

— Minuit dix. Tu te zones en même temps que les poules, maintenant?

— Que veux-tu que je fiche d'autre!

— D'où vient que le téléphone ne réponde pas?

— J'ai retiré la fiche.

— A cause?

— Pour éviter des fuites, si Maurice appelait, tu piges?

— C'est embêtant, tu vois, j'suis obligé de me déplacer pour te parler...

— C'est bon, je vais la remettre.

— D'ailleurs, tu n'as rien d'autre à faire qu'à surveiller ces dames.

— C'est vrai.

— Elles se comportent comment?

— Elles attendent. La province, quoi : prudence et patience...

— Elles n'attendront plus très longtemps...

Le ton qu'il a pris pour dire ça m'a flanqué un coup.

— A cause?

— J'ai eu une idée!

— Ah oui?

— Une bonne!

— Je n'en doute pas. On peut savoir?

Il a choisi ce moment pour changer sa cigarette. A l'intérieur de sa voiture, la radio mou-
linait de la musique douce pour les oreilles en
chou-fleur de Charly.

— Une idée, Lino, qui va obliger ce salaud à
revenir...

— Oh! Oh! Ça me plaît!

— Suppose qu'il arrive un grave turbin à sa
mère ou à une de ses frangines...

— Comprends pas...

— Un accident! Cette rue est peinarde... On
marche au milieu, because l'exiguïté des trottoirs... Tu me suis?

— Alors?

— On vient s'embusquer dès demain avec
une charrette d'occasion. Et la première qui sort :
« patatraque »! Du coup, le Maurice serait bien
forcé de rappliquer. Ne serait-ce que pour les
funérailles!

Tout à coup, j'ai trouvé que la nuit était froide.
Ma peau s'est hérissée.

— Tu ne dis rien, Lino?

Il avait raison, il fallait que je dise quelque
chose... N'importe quoi...

— Si on se lance dans l'hécatombe, maintenant...

— Qui est-ce qui te parle d'hécatombe... Un pauvre petit accident de rien du tout!

— Ça peut être embêtant...

— Non!

Max paraissait à cran. Il en avait assez d'attendre. Il me détestait sérieusement.

— On dirait que t'as du regret? a observé cette salope. La pension te plaît?

— Dis pas de conneries...

— Alors on fera ce que j'ai dit.

— Entendu.

— Et dès demain, vu?

— Vu.

— O.K., bonne nuit, Lino!

— Bonne nuit, Max...

Quand il fermait la porte de sa bagnole, on comprenait, au bruit, que ça n'était pas de la quincaillerie. Ses feux rouges, triangulaires, étaient énormes. J'ai regardé s'éloigner la voiture. Dans la nuit, elle ressemblait à un passage à niveau fermé.

-:-

— Qu'est-ce qu'ils voulaient?

Ça m'a fait sursauter. Je n'avais pas vu Jacqueline dans la pénombre du couloir. Elle se tenait contre le portemanteau, sans attirer plus l'attention que les hardes qui y étaient accrochées.

— Qu'est-ce que vous faites là ?

— Je vous attendais, je suis inquiète...

Je n'ai rien répondu. J'ai tiré une chaise sous la prise du téléphone et j'ai remis la fiche.

— Que voulaient vos amis à cette heure ?

— Prendre de mes nouvelles, j'avais oublié de rebrancher le téléphone et ils ne pouvaient pas me joindre autrement...

Elle s'est avancée vers moi.

— C'est tout ?

— Mais oui, qu'est-ce qui vous prend ?

— Je ne sais pas. J'ai eu un... un mauvais pressentiment.

— Vous feriez mieux d'aller vous coucher. Allez, hop !

Mais elle ne bougeait plus. Je distinguais ses yeux clairs, brillants.

— Jacqueline...

— Oui ?

L'obscurité m'aidait. J'avais envie de lui parler de lui dire des choses qui m'auraient peut-être aidé à voir clair en moi.

— Jacqueline ! Je crois qu'il faut que je vous demande pardon pour hier tantôt... Toutes ces saletés que je vous ai dites... J'étais en colère et je ne savais pas... Je...

Heureusement qu'il faisait noir, car je devais avoir l'air rudement crétin!

Elle est venue contre moi. Elle a appuyé son front contre ma poitrine comme elle l'aurait appuyé contre un mur froid afin de le rafraîchir. Je n'osais pas bouger, pas même respirer... J'aurais voulu arrêter aussi mon cœur qui battait plus vite que d'habitude. J'étais bien.

Au bout d'un moment, nous sommes remontés sans rien dire. Et nous ne nous sommes même pas regardés en nous quittant.

Dans l'ombre, la vieille maison craquait doucement, comme un feu de bois sur le point de s'éteindre.

CHAPITRE XIII

C'EST encore une drôle de nuit que j'ai passée là.

D'habitude, à Paris, je me couchais à cinq heures du matin, juste avant les premières lueurs de l'aube, et je me levais à deux heures de l'après-midi, au moment où les laborieux retournent au charbon, après la mi-temps. Excepté pour les cas graves — lorsqu'on avait un hold-up de caissier par exemple (l'argent se balade en général le matin) — c'était pareil tous les jours. C'est dur à perdre, des habitudes. Quand j'étais à la centrale de Poissy, il m'avait fallu presque un mois pour m'acclimater aux horaires de la Pension.

J'ai remué dans mon lit, pendant des heures et des heures...

Pour la première fois de ma vie... Non, pas la première, la seconde, j'avais une espèce de chagrin rentré qui m'empêchait de respirer bien à fond. Mon premier chagrin, si vous voulez tout savoir, je l'avais ressenti à Napoli. Probable que c'est surtout à cause de lui que je ne peux plus sentir ce pays! A l'époque, j'étais chez un ferronnier... Mon boulot consistait à tirer sur le soufflet de sa forge et à verser de la flotte sur les barres de fer rougies au moment où il le fallait. Moyennant ces fonctions, j'avais droit à ma ration de spaghetti et de coups de pieds au cul. Ce bonhomme avait un gosse de mon âge, complètement idiot. Ses yeux étaient comme des trous dans sa figure... Une face large, immobile comme un masque. C'était un drôle de compagnon pour moi! Je préférais le chat de la maison, un de ces affreux greffiers à rayures dont on fait les gilets de corps. Un jour, je ne sais comment, le gamin est mort. Une grippe, je crois. Heureusement ces gars-là sont fragiles comme des petits saxes!

Chagrin à grand spectacle des parents! En Italie, les chagrins constituent une représentation de gala! Bref, on a enterré le môme... Jusque-là, je m'en foutais. Mais voilà qu'après les funérailles, le père s'est mis dans l'idée de détruire tout ce qui pouvait lui rappeler son petit cauchemar... Les fringues, les jouets... Il a entassé tout ça (je dis tout ça, mais ça ne faisait pas beaucoup) sur le feu de la forge... Moi j'ai actionné le soufflet. Et c'est là que ça m'a pris. Une tristesse terrible qui m'a fait mal dans tout

125

le corps. Je chialais en tirant la chaînette du soufflet. Le feu de la forge séchait mes larmes... Oui, je m'en souviens très bien...

Si je vous raconte ça, c'est pour vous faire comprendre ce que j'éprouvais, cette nuit-là, chez les dames Broussac. En bas, lorsque Jacqueline avait appuyé son front contre ma poitrine, j'avais envie de lui parler du petit idiot de Naples.

A quoi bon? On n'est pas sur terre pour faire du sentiment. Vous savez, c'est pas pour faire l'esprit fort que je dis cela. L'expérience m'a montré bien souvent que la vie est faite pour les plus costauds... Exemple le fils du ferronnier! Ceux qui ont le corps fragile ou le cœur tendre ne vivent jamais très bien, jamais très vieux, ou alors ça n'est dans des conditions optimales!

Fallait que je chasse ce chagrin sournois. Bon, Max avait décidé de bousiller une de ces dames, je n'allais pas en faire un roman, des fois? J'avais déjà buté des gens qui m'étaient sympathiques — ou qui me le seraient devenus si on avait eu le temps de se fréquenter. Je n'avais pas le droit d'en vouloir à Max. Lui, c'était un scientifique. Il menait sa vie comme une partie d'échecs, en déplaçant les pions qu'il fallait au moment qu'il fallait!

Tout comme à Paris, je me suis endormi au petit matin. Je ne voulais pas me laisser glisser, mais ç'a été plus fort que moi. Une vague noire m'a emporté. J'ai confusément entendu chanter un coq, dans un poulailler voisin. Un coq qui se foutait pas mal de Max, de Maurice et de tous les diamants de la terre puisqu'il avait son tas de fumier à portée du bec.

-:-

Lorsque je me suis réveillé, il était dix heures J'ai mis un moment à reprendre mes esprits. Enfin la situation de la nuit s'est reconstituée dans mon petit cerveau. Je me suis levé d'un bond. Je faisais un drôle de geôlier! Tout était calme autour de moi. La maison paraissait déserte. Vous ne voyez pas que ces dames aient mis les voiles pendant mon sommeil?

Je me suis débarbouillé et vêtu en quatrième vitesse. Puis je suis descendu sans être rasé. J'ai couru à la cuisine... Jacqueline était occupée à hacher ce qui restait du pot-au-feu de la veille pour préparer des tomates farcies... Je ne l'ai même pas saluée. Je suis allé directement au bureau de Mme Broussac. La vieille dame potassait ses factures inquiétantes d'un air soucieux.

Elle a relevé ses lunettes sur son front en un geste rituel. Elle m'a décoché un petit sourire.

— Eh bien, vous avez fait un fameux sommeil...

— Où est Sylvie? ai-je coupé.

— A son cours de violon!

La catastrophe! Sylvie! J'imaginais la gosse foudroyée par la voiture de Max... Avec son petit visage barbouillé de sang, son violon écrasé, ses jupes relevées... Ah! non... Tout de même!

Je suis sorti en courant... J'étais fou d'angoisse. J'ai traversé l'atelier sous les regards ahuris du vieux Victor et de son assistante!

J'allais sortir, je me suis ravisé.

— Dites, où Sylvie prend-elle ses cours de violon?

— Chez son professeur, a répondu sérieusement la môme bigleuse.

— Il habite où?

— Rue Alfred-Savoir...

— Ça se trouve où, bon Dieu!

— A gauche de l'église, a lâché Victor, intrigué.

Je suis sorti en courant. J'étais en pantoufles, sans cravate, sans imperméable... Il flottait justement. Une petite pluie rectiligne, timide, qui produisait sur les pavés inégaux un bruit de poussins picorant.

La rue était déserte. Je me suis mis à courir aussi fort que j'ai pu jusqu'à la ville. Les gens me regardaient passer et je sentais qu'ils se retournaient pour me suivre des yeux...

J'ai débouché sur la grand-place, échevelé, en sueur et trempé de pluie. L'aimable silhouette

de Sylvie débouchait d'une rue... Elle portait
sa boîte à violon sous le bras qui tenait le pa-
rapluie, afin de le protéger. Elle portait un petit
manteau de velours gris et un béret noir... Elle
était vraiment mignonne. Je l'ai abordée. Réaction
de petite jeune fille bien élevée, elle a regardé
autour d'elle avec effroi pour voir si on nous
voyait! Sa chère réputation!

— Que faites-vous ici? m'a-t-elle demandé
d'une voix sévère...

— Je vous attendais... C'est gentil, non?

— En voilà une idée, les gens...

— Je me fous des gens. Allez, rentrons...

Nous avons retraversé la place et pris la grande
rue sur une certaine distance. C'est alors que j'ai
aperçu une traction noire rangée devant une
fontaine. A l'intérieur, il y avait Max et son
cher casseur de gueules. Il avait changé de voiture, sa grosse américaine étant trop repérable...

— Passez du côté du mur, ai-je ordonné à
Sylvie.

— Voilà que vous vous lancez dans les conve-
nances, maintenant...

Nous arrivions à la hauteur de l'auto. Pour
essayer d'écraser le coup, j'ai adressé un clin
d'œil prometteur à Max. Mais il n'avait pas l'air
d'apprécier la plaisanterie.

Nous sommes passés devant l'auto. Je conti-
nuai d'escorter Sylvie, la tenant rigoureusement

du côté des façades. Je me demandais si Max n'allait pas piquer un coup de sang et nous aplatir tous les deux au moment où nous devrions traverser la chaussée. Mais rien ne s'est produit. L'auto noire restait à sa place, près de la fontaine. Par la vitre avant baissée, s'échappait la fumée de leurs cigarettes. La voiture, de loin, ressemblait à un chaudron d'eau en train de bouillir.

— J'aimerais bien savoir pourquoi vous êtes venu m'attendre, a insisté Sylvie avant que nous entrions dans l'atelier.

— Une idée!

— Et dans cette tenue, c'est flatteur!

Elle m'en voulait pour mes pantoufles, ma barbe, mon absence de cravate.

Lorsque la porte de l'atelier s'est refermée, j'ai commencé à respirer.

Sylvie boudait. Elle est montée dans sa chambre en arrivant. Jacqueline descendait l'escalier, son manteau sur les épaules. Le cauchemar continuait.

— Où allez-vous? ai-je croassé.

— Faire des courses...

— Non!

Elle a froncé les sourcils.

— Vous ne voulez plus que je sorte?

— Non.

— Pourquoi?

— Parce que je ne veux pas ; c'est une raison suffisante!

— Maintenant vous nous séquestrez?

On repartait dans les grands mots. Eh oui, je les séquestrais. Mais ça rimait à quoi? Ça allait durer combien de temps?

La sonnerie du téléphone a vrillé le silence onctueux de la bicoque.

— Ne bougez pas! ai-je lancé...

Je suis allé répondre. Mme Broussac venait de décrocher, je lui ai arraché l'appareil des mains. Je savais que c'était Max.

Sa voix avait dans le téléphone d'étranges inflexions.

— Lino?

— Oui.

— Dis-moi, bonhomme, à quoi joues-tu, j'aimerais bien savoir...

— Je t'expliquerai...

Ça, c'était pour gagner du temps. Que pouvais-je lui expliquer? Il ne s'y est pas trompé d'ailleurs.

— J'ai décidé de régler cette affaire aujourd'hui, Lino, tu m'entends?

— Bien sûr...

— Je te donne une demi-heure pour nous expédier une des bonnes femmes, n'importe laquelle, au choix... Passé ce délai, ça sera autre chose de mieux... Tu me connais quand je prends le coup de sang?

Il a raccroché.

J'ai sorti mon mouchoir de ma poche pour m'essuyer le visage. Je transpirais d'émotion. Un instant, j'ai eu l'idée d'aller flinguer Max et son king-kong dans leur voiture... Ça n'était pas une solution. Encore une fois Max avait raison et il avait le bon droit pour lui! Il me restait une demi-heure pour prendre une décision.

Jacqueline s'est avancée dans l'encadrement de la porte.

— Ainsi je n'ai pas le droit de sortir?

— Non!

— Que se passe-t-il, Monsieur Lino? a demandé Mme Broussac.

Monsieur Lino!

— Rien... Envoyez votre petite ouvrière en courses si vous voulez!

— Très bien, a murmuré Jacqueline, pincée...

Elle est sortie dans le jardin pour appeler. Jeanne. La vieille me sondait d'un œil inquiet.

— Il est arrivé quelque chose? m'a-t-elle demandé. Vous ne semblez pas dans votre état normal!

— Oh! laissez-moi...

Je suis sorti à mon tour dans le jardin. Jacqueline donnait de l'argent à Jeanne. Quand la môme s'est éloignée, elle m'a regardé.

— Si vous me disiez, vous ne pensez pas que...

— Non!

— J'ai peur!

Et moi, alors je n'avais pas peur peut-être? Parfaitement, peur! Peur comme je ne croyais pas qu'il fût possible d'avoir peur!

J'ai secoué la tête.

— Vous m'emmerdez, allez faire votre tambouille...

Furieuse, elle m'a laissé. Je la décevais. Elle devait regretter à mort sa légère faiblesse de la nuit.

J'ai marché dans les hautes herbes mouillées. La pluie venait de cesser, mais de grosses gouttes tombaient des arbres. Ça me dégoulinait dans le cou... Justement, j'avais besoin de fraîcheur derrière la tête... Ce sacré mal m'administrait ses petits coups de maillet lancinants...

Que faire? Aller supplier Max? Il ne marcherait pas. J'avais amené Maurice, et Maurice l'avait blousé, j'étais responsable!

On avait tout essayé pour récupérer les bijoux. Il ne restait que cette ultime tentative...

Je ne sais pas combien de temps j'ai passé dans ce jardin en friche qui sentait le mouillé et la pomme pourrie. Toujours est-il que le téléphone a retenti de nouveau. Maintenant la vieille était au pas. Elle n'a pas décroché. Je suis allé répondre...

Comme j'entrais dans le bureau, elle a murmuré :

— Monsieur Lino, prenez les patins de feutre !

Parce que j'avais les souliers crottés ! Des patins de feutre à cet instant ! C'était risible, et pourtant c'est ça qui me retenait de les laisser mettre en l'air ! Leur naïveté, leur sincérité... Leurs petites marottes de dames seules...

— J'écoute ?

C'était encore Max.

— Lino, c'est le dernier avertissement que je te donne ! Dans cinq minutes, il va y avoir du sport...

Et de raccrocher, sec, de toutes ses forces, comme s'il me foutait une claque.

C'est alors que j'ai pris ma décision. Je suis allé fermer la porte du bureau et je me suis approché de Mme Broussac.

— Il faut que je vous parle.

— Enfin ! a-t-elle soupiré.

— Voilà ce qui se passe... Maurice est en ville !

— Mon Dieu !

— Chut, ne dites rien à vos filles...

« Il est dans le café, près de l'église. Seulement ma bande l'a repéré et il va lui arriver malheur s'il sort...Il faut que vous y alliez tout de suite...

— Mais oui, bien sûr...

— Dites-lui qu'il reste dans le café jusqu'à

134

nouvel ordre. Dans l'après-midi je lui enverrai une voiture... Bref, je me débrouillerai...

J'étais rouge comme un coquelicot! Quelle salope je faisais!

— Filez sans vous faire remarquer, ai-je recommandé encore. Tout le monde doit rester calme...

Elle a noué son grand châle noir sur sa poitrine plate. Puis elle est venue vers moi. Elle a passé son bras autour de mon cou.

— Vous êtes un bon petit, a-t-elle murmuré. Un bon petit... Je n'oublierai jamais... Merci!

Elle est partie, furtive.

Moi, je me suis appuyé contre le bureau à cause d'un point qui me perçait la poitrine comme une épée de feu.

CHAPITRE XIV

N'ÉTAIT-CE pas la meilleure solution ? Puisque quelqu'un devait mourir, dans cette maison, n'était-il pas normal que ce fût le plus vieux...

Après tout, elle en avait assez bavé, Mme Broussac. Elle avait droit au grand repos... J'espérais que Max mettrait toute la sauce afin qu'elle ne souffre pas.

Jacqueline, est entrée.

— Ma mère n'est pas là ?

— Je ne sais pas...

— Comment, vous ne savez pas ! Elle se trouvait ici il y a deux minutes !

— Il ne faut pas longtemps pour sortir d'une pièce... Vous ne me l'avez pas donnée à garder, si ?

— Pourquoi me parlez-vous sur ce ton, aujourd'hui ?

— Et encore je fais un effort ; si je m'écoutais, je crois que je la bouclerais...

Elle a secoué tristement la tête.

— C'est étrange...

— Qu'est-ce qui est étrange?

— Vous savez aussi bien être ignoble que pathétique!

Elle ne sentait donc pas que sa vieille était en danger.

Je croyais que ça existait, la voix du sang! Moi, si j'avais eu une vraie mère, j'aurais reniflé ça...

— Jacqueline!

Je lui ai sauté dessus. J'ai pris sa bouche sous la mienne, de force au début, mais elle a eu vite fait de se laisser aller.

Je la serrais à l'étouffer, pas pour avoir son corps contre le mien, pas pour dévorer ses lèvres de fille, mais parce qu'il me semblait que c'était une espèce de moyen de protéger Mme Broussac. Vous ne pouvez pas comprendre. Je voulais réussir à combattre le destin, rien qu'avec cette communion intense... J'espérais faire deviner à Jacqueline qu'il existait, tout près, une catastrophe en mouvement... Une affreuse catastrophe qu'à force de frénésie on pouvait peut-être éviter.

Je fermais les yeux, je la broyais contre moi... Elle était pantelante...

Et puis, soudain, je l'ai lâchée. Un bruit hideux venait de retentir dehors... Un bruit de freins, un choc flasque, un cri... Le tout simultané, amalgamé...

J'ai couru... Ça y était... Je n'avais pas pu détourner le cours des choses. Je n'étais qu'un pauvre ballot comparé au destin.

L'atelier était vide. Dehors, le père Victor hurlait des lamentations près d'un tas sombre. L'auto de Max avait déjà disparu...

-:-

Mme Broussac était toute recroquevillée au milieu de la rue! La figure sur les pavés. Elle avait les yeux fermés et elle geignait doucement, comme on geint en rêve, parfois... Elle se tenait sur le flanc, les bras réunis sur son fichu...

— Quel malheur! Quel grand malheur! pleurnichait Victor...

Jacqueline est arrivée. Elle n'a pas dit un mot. Elle s'est agenouillée par terre, a soulevé la tête de sa mère... Doucement, doucement, comme si elle avait peur de briser ce qui lui restait de vie...

Je me suis baissé pour prendre la vieille dame dans mes bras. Je l'ai enlevée sans secousse, et nous sommes tous rentrés dans la maison.

Je ne me suis arrêté que dans la chambre de Mme Broussac. Sylvie jouait du violon à côté. Elle n'avait rien entendu...

J'ai déposé Mme Broussac sur son lit. Le violon continuait de se lamenter. Il avait l'air de jouer l'accident.

— Appelez ma sœur, a dit Jacqueline...

Victor y est allé. Je l'ai entendu frapper. Le violon s'est arrêté après une note haute qui vous déchirait l'âme.

— Venez vite, Mademoiselle. Il est arrivé un grand malheur.

Je n'osais pas regarder en direction de la porte. Victor lui expliquait, en termes hachés...

— Une auto... Le type roulait comme un fou... Il ne s'est même pas arrêté...

Pendant ce temps, Jacqueline est descendue téléphoner à un docteur. Je ne sais plus bien comment les choses se sont passées à ce moment-là... Il y a eu le chagrin de Sylvie... Les plaintes d'animal foudroyé de Mme Broussac... Les jérémiades du vieil ouvrier... Tout ça tourne encore dans ma tête... En bas, le déclic du téléphone raccroché... La galopade de Jacqueline dans l'escalier.

Elle est revenue en tenant un flacon de vulnéraire... Elle a essayé d'introduire le goulot entre les dents crispées de sa mère, n'a pu y parvenir. Alors elle a pris la main de Mme Broussac et elle s'est mise à murmurer « Maman... Maman... » comme une plainte, sans pleurer, sans comprendre... Blessée aussi, aurait-on dit.

Personne ne faisait attention à moi. Je m'étais retiré au fond de la chambre, essayant le plus possible de me faire oublier car, enfin, je n'avais rien à foutre ici. PLUS rien!

Cette vieille femme mourante, poussiéreuse, saignante, sur ce lit, c'était mon boulot. Je l'avais envoyée à la mort volontairement en sachant exactement ce qui allait lui arriver. Et pour cela, j'avais employé un moyen dégueulasse. Je lui avais fait croire qu'elle m'aidait à sauver son fils, alors qu'au contraire elle m'aidait à le perdre.

La porte a claqué, en bas. La voix de Jeanne, la petite arpette, a retenti.

— Mademoiselle Jacqueline! Ça y est, me voilà!

Elle ne savait rien. Elle revenait avec son panier à provisions, en ignorant que la vie de cette maison venait de changer pendant sa courte absence...

Victor est allé le lui dire. Elle a voulu monter voir ça. Ça a fait quelqu'un de plus dans la chambre... D'autres sanglots, d'autres gémissements... Comme ça, jusqu'à l'arrivée du docteur, un grand vieux bonhomme maigre avec une tête trop grosse et des cheveux en brosse. Il a fait sortir tout le monde, sauf Jacqueline...

Nous sommes restés sur le palier, tous, à attendre son verdict... Nous n'osions pas parler. Jeanne récitait une prière, on n'entendait que son chuchotement d'église... Sylvie essayait encore de réaliser son malheur... La mort était là, derrière une porte effrayante pour tous ces gens. Elle ne me faisait pas peur à moi. Je savais comment meurent les gens. Ça paraît compliqué, mais il n'y a rien de plus facile... Ça ressemble à un sommeil. La nuit rentre en eux, doucement, et puis ils ne sont plus...

Le docteur est resté un bon quart d'heure dans la chambre. Lorqu'il est ressorti, il paraissait suivre déjà l'enterrement. On a su tout de suite qu'il n'y avait plus rien à espérer. Il nous l'a dit d'ailleurs...

— Inutile de la faire transporter à l'hôpital. Elle ne supporterait pas le voyage car elle est déjà dans le coma.

» Vous devez prévenir la gendarmerie... Cet ignoble chauffard mérite d'être salé... »

Victor est descendu avec lui pour téléphoner aux flics. Sylvie est rentrée dans la chambre, moi je suis resté dans l'encadrement...

Alors Jacqueline a murmuré d'une voix bizarre que je ne lui connaissais pas :

— Tu veux sortir un instant, Sylvie?

Elle a été obligée de répéter sa phrase, car la jeune fille paraissait ne pas l'avoir entendue.

— Entrez, Lino!

J'ai fait un pas dans la chambre.

— Fermez la porte!

J'ai obéi, docile comme je ne l'avais jamais été de ma vie, même à l'époque où je tirais la chaîne du soufflet dans la forge du ferronnier napolitain.

Elle avait un nouveau visage. Un visage pareil à ceux que peignait je ne me rappelle plus quel peintre italien... Un visage mystérieux et blanc, dans lequel les yeux semblaient ne pas avoir encore été peints.

— Approchez...

Je suis allé au bord du lit. Elle se tenait de l'autre côté. Mme Broussac ne gémissait plus et respirait par petits coups. Le toubib avait dû lui faire une piqûre car une odeur indéfinissable, inquiétante, flottait dans la chambre.

— Lino, c'est vous qui lui aviez dit de sortir ?

— Mais non, je...

— Ne mentez pas. Elle ne serait pas partie sans me prévenir...

Je me suis tu. A quoi bon nier ?

— Ce sont vos complices qui l'ont écrasée ?

J'aurais dû protester, ne fût-ce que pour la forme. Mais ma langue pesait une tonne. J'ai détourné les yeux de ce joli visage impitoyable dans lequel naissait peu à peu un regard d'archange vengeur.

— Vous n'êtes qu'un pauvre petit assassin, lâche et veule. Vous n'êtes pas un homme, Lino... Je vous méprise infiniment. Désormais, je ne vivrai plus que pour haïr ce baiser que vous m'avez volé pendant que ma mère se faisait tuer...

On ne décelait pas la plus légère trace de colère dans sa voix. Elle récitait sa rancœur comme
une prière.

— Vous êtes un malheureux, Lino...

Quelqu'un avait-il su prononcer mon prénom
aussi bien, depuis que j'étais au monde ? Je ne le
pense pas...

— Un infirme moral... Vous ne savez pas,
vous n'avez jamais compris ce qu'est la vie. En
assassinant les autres, vous ignorez que c'est vous
que vous tuez... Les autres ne font que mourir...
Vous, vous agonisez... Votre existence n'est
qu'un long coma... Je le savais avant, déjà...
C'est pourquoi vous me faisiez pitié... Vous avez
fait ça pour obliger Maurice à revenir, n'est-ce
pas ? Pour récupérer une poignée de bijoux...
Pour le tuer... Ça ne fait rien... Tuez-le ; tuez-
nous aussi... Je vous fais cadeau de nos vies à tous...

Je me suis senti pâlir. Je devais être livide
Ça me faisait comme si j'avais été ligoté dans
une chambre froide. Mes veines commençaient
à charrier des glaçons...

J'ai fait un mouvement en direction de la
porte.

— Non, attendez !

J'ai attendu. Elle avait encore des choses,
beaucoup de choses à me dire...

— Restez encore... Devant ce lit, Je veux
vous parler de celle qui meurt. Il faut bien que

vous sachiez au moins qui vous venez de tuer!
C'est la moindre des choses.

— Non!

Je n'en pouvais plus. J'ai mis mes grosses
pattes de tueur à plat sur mes oreilles.

— Je ne veux pas.

Elle a poursuivi, comme si de rien n'était.
Et malgré ces tampons de chair sur mes oreilles,
j'ai entendu son chuchotement.

— Elle n'a jamais vécu pour elle... Depuis
que cette femme est au monde, elle n'a pas dis-
trait une seule minute de sa vie à son profit.
Regardez-la... Regardez-la, Lino!

J'ai regardé Mme Broussac. Son visage ex-
sangue reflétait une sorte de lutte intérieure.
Elle se débattait encore... Avec ce qui pouvait
sommeiller de lucidité en elle, elle voulait aller
retrouver Maurice... Il y avait ce rendez-vous
manqué... Seul cela comptait encore pour la
vieille femme.

— Oh! Lino... Lino, vous n'êtes qu'un misérable!

J'ai baissé la tête.

On a frappé doucement à la porte. C'était
Sylvie escortant un brigadier de gendarmerie.

L'arrivant a fait un salut militaire en entrant
dans la chambre. Puis, comprenant que ça ne
suffisait pas, il a ôté son képi. Il était presque
chauve, avec un crâne blanc au-dessus de sa
figure basanée.

CHAPITRE XV

Un peu plus tard, nous nous sommes tous retrouvés dans le bureau. Il ne manquait que Sylvie, restée au chevet de la mourante.

Nous étions descendus pour les dépositions.

Le père Victor a raconté trois fois de suite ce qu'il avait vu. C'était peu.

— Cette pauvre Madame est sortie. Elle semblait pressée... A peine a-t-elle été dehors, j'ai vu passer une auto. Il y a eu un bruit affreux...

— Quelle couleur, l'auto ? a demandé le brigadier.

— Noire.

— Quelle marque ?

— Je ne sais pas... Pas eu le temps de voir...

C'était maigre. Le gendarme a fait la grimace en remisant son crayon dans le milieu de son carnet froissé.

— Je vais enquêter dans le voisinage, peut être y a-t-il eu des témoins ?

Il s'est tourné vers Jacqueline.

— Qui est ce monsieur ? a-t-il demandé en me désignant.

Depuis son arrivée, je m'attendais à cette question. Je pensais à chaque seconde que Jacqueline allait pointer sur moi un index vengeur, qu'elle allait hurler la vérité et me faire arrêter...

Inconsciemment, je préparais des arguments. J'allais nier à fond pour m'en tirer...

Le brigadier attendait. Elle est sortie de sa torpeur.

— Ce monsieur ? a-t-elle soupiré. Oh! c'est un ami...

Simplement.

Le brigadier a hoché la tête... Il s'est levé, a murmuré des paroles de condoléances et il est parti... Jacqueline est remontée près de sa mère. La petite Jeanne est allée chercher le curé. D'habitude, quand je participais à un coup saignant, je n'assistais pas à tout ce branle-bas ; au contraire, je me dépêchais de mettre les bouts !

C'est ce que j'ai décidé de faire. Je venais de donner une preuve de ma loyauté aux amis. A eux de conclure. Moi, je me retirais de la compétition, purement et simplement. Je leur abandonnais même ma part de gâteau, si jamais ils parvenaient à récupérer les cailloux. Qu'ils se débrouillent avec Maurice! Je raconterais à Max que la gendarmerie me tenait à l'œil et qu'il

m'était impossible de mener ma mission à bien.
Tant pis s'il renaudait...

J'ai surpris le regard inquisiteur du père Victor.
Il était assis dans le fond du bureau et m'obser-
vait derrière ses satanées petites lunettes à reflets
bleutés.

— Vous êtes un salaud! m'a-t-il déclaré tout
de go.

J'ai marché sur lui, les poings serrés. Je ne
pouvais supporter ce bonhomme.

— Vous dites?

Il avait la témérité des faibles.

— Que vous êtes un salaud! Voilà plusieurs
jours que j'avais envie de vous le dire.

Sa tranquillité absolue m'a déconcerté, je
l'avoue. Qu'est-ce qu'il lui prenait, à ce vieux
crabe, de m'insulter à un moment pareil? Il ne
pouvait pas savoir que...

— Pourquoi me dites-vous ça?

Il a haussé les épaules.

— Je ne sais pas; c'est plus fort que moi.
En vous voyant rappliquer ici, j'ai senti que vous
ameniez le malheur!

— Bougre de vieux con!

— Vous pouvez m'insulter, je m'en moque.
Je prends ça de la part de qui ça vient!

— Non, mais vous avez fini, hein?

Je l'ai saisi par les revers fripés de sa blouse
grise. Il puait le vieux tabac, le mauvais vin, le

147

rance, l'homme fini... Il pesait une plume. Rien que d'une main, je le faisais virevolter.

Sa moustache brûlée par ses mégots était la chose la plus répugnante qu'on pût imaginer. Son béret vacillait sur sa tête.

Il ne disait plus rien, pourtant il n'avait pas exactement peur.

Je l'ai flanqué dans un fauteuil.

— Guenille!

— Dites toujours. Moi je sais une chose...

— Ah oui?

— Oui. Vous finirez sur la guillotine! C'est écrit sur votre cou!

Je n'ai pu me contrôler cette fois. J'ai flanqué un coup de pied dans le fauteuil. Le siège a basculé et le père Victor a fait un valdingue par-dessus le dossier... Il a perdu son béret, ses lunettes... A quatre pattes, il s'est mis à les chercher en marmonnant des injures.

Il était grand temps que je parte.

-:-

Dehors, mon excitation est tombée brusquement. J'ai été chaviré par l'odeur du jardin. Il sentait le cimetière sous la pluie.

J'ai descendu lentement l'allée menant à l'atelier... Cette odeur me faisait mal.

Une fenêtre s'est ouverte au premier étage.

Le bruit m'a fait me retourner. J'ai aperçu Jacqueline accoudée à la barre d'appui.

— Lino!

J'ai continué mon chemin, sans répondre.

— Montez, Lino!

Encore deux pas et j'atteignais la porte de la fabrique de masques.

Je me suis arrêté.

— Lino, je vous en supplie...

J'ai fait demi-tour.

Elle m'attendait sur le palier.

— Vous alliez où?

— Je partais...

— Où?

— Loin d'ici...

— Venez, je crois que ma mère reprend connaissance...

Était-ce la même fille qui, il y a un instant, m'avait abreuvé d'insultes? Elle était calme, soumise.

Je suis entré dans la chambre. Sylvie se tenait agenouillée au pied du lit, les coudes sur la courtepointe, regardant sa mère... Mme Broussac n'avait pas repris connaissance, mais ses paupières s'étaient légèrement soulevées, laissant passer un regard éteint.

— Maman, a chuchoté Jacqueline, maman, tu m'entends?

La moribonde n'a pas sourcillé.

— Elle ne... ai-je commencé.

Mais une voix m'a stoppé.

La voix d'un être immatériel, lointaine, imprécise...

— Maurice...

Sylvie a relevé la tête. Jacqueline s'est avancée vers le lit.

Les lèvres de Mme Broussac remuaient à peine. Elle donnait un son à sa respiration, elle l'articulait, si je peux dire.

— Maurice... Tu... es là?

Le silence faisait le bruit d'une flûte conservant une note haute. Il nous sifflait dans les oreilles...

— Tu es là, Maurice?

Jacqueline a eu un mal fou pour murmurer d'une voix brisée par l'émotion...

— Oui, Maman, il est là!

Ses yeux s'étaient enfoncés loin, loin au fond de ses orbites immenses. Son teint était cireux, sa bouche rentrée, comme si elle aspirait ses lèvres...

J'ai vu un léger frémissement habiter sa main droite posée le long de son corps.

Alors je me suis jeté à genoux. J'ai pris sa main dans les miennes et j'ai mis ma tête contre les veines saillantes qui la sillonnaient.

Comment avait-elle dit, Jacqueline? « Les

autres ne font que mourir ; vous, vous agonisez ! »

Dans la main glacée de Mme Broussac coulait la vie, goutte à goutte... à un rythme qui se
ralentissait. La vie ! Je commençais à comprendre...
Oui, la vie... De la lumière, des pensées... Comment n'avais-je pas pigé plus tôt ! Parbleu :
la vie !

Je comprenais maintenant cette chaîne de
chair qui remontait à la nuit des temps et qui
dévalait le cours des âges en un torrent confus.
Des vivants qui faisaient d'autres vivants... Et
ainsi de suite... Et puis qui mouraient en laissant un vide aussitôt comblé... Cela, je l'avais
admis avant... J'y voyais même une preuve que
tuer était un acte sans grande importance...

Seulement, je n'avais pas réalisé la Vérité.
Et la vérité, c'était que deux vies sont trop pré-
caires pour pouvoir se détruire... Justement.
Oh ! je voudrais vous faire comprendre... Nous
n'avons pas des existences individuelles, mais
nous partageons une vie commune. La vie, c'est
une mangeoire collective. En tuant des vies,
je tuais la vie : la mienne et celle des autres.
Jacqueline avait raison.

Mme Broussac ne disait plus rien. Je l'ai re-
gardée. Il y avait comme un sourire sur ses lèvres.
Je crois qu'elle m'avait possédé avant de partir...
Comme sa fille l'avait dit, elle n'avait jamais su

garder pour elle une seule minute de son existence.

Sa dernière, elle me l'avait consacrée. Son visage paraissait tout petit, tout petit... Son nez était pincé. L'air n'y passerait jamais plus. Elle avait fini d'avaler ses lèvres et elle riait en dedans... Il ne restait qu'une petite barre de regard mort sous ses paupières. Jacqueline les a abaissées. Le visage de la vieille dame a comme disparu, soudain. Ce qui restait d'elle ressemblait aux embryons de masques que débitait le père Victor en appuyant sur la pédale de sa presse.

— Elle est morte! a dit Jacqueline.

— Maman est morte! a hurlé Sylvie en quittant la chambre.

Elle est partie en courant comme une folle à travers la maison. Elle criait « Maman est morte! Maman est morte! »

Je suis allé me foutre contre le mur. J'ai mis ma tête sur mon bras, et j'ai pleuré de toute mes forces ce lambeau de ma vie qui gisait sur le lit.

CHAPITRE XVI

Nous nous sommes mis à la veiller tous les trois. Pas dans sa chambre, il paraît que ça ne se fait plus, mais dans la salle à manger. Vers deux heures du matin, Sylvie, à bout de forces, s'est endormie dans le grand fauteuil et, pour la laisser reposer, Jacqueline et moi sommes passés dans le bureau.

Nous n'avions rien dit. Jusqu'à une heure avancée, il y a eu des allées et venues : le curé, les derniers amis, des voisins curieux... Ensuite, nous étions trop abrutis pour parler.

Mais une fois dans le bureau, l'atmosphère s'est un peu détendue entre nous. Jacqueline s'est assise derrière le grand meuble à volet, à la place qu'occupait sa mère. Il y avait encore les lunettes de Mme Broussac sur un registre noir.

— Qu'est-ce que vous allez devenir ? ai-je demandé à Jacqueline...

Elle a hoché la tête.

— Je ne sais pas...

— Vous n'allez pas rester ici?

— Probablement que si...

J'ai frémi. Je la voyais, après des années, grisonnante, pâlie, amaigrie, soucieuse, avec des lunettes sur le nez, des factures embêtantes étalées sur le cuir râpé du bureau... Cultivant des souvenirs dans la grande maison décrépite...

Rêvant à sa jeunesse perdue... Évoquant peut-être ce gangster qui avait traversé sa piètre existence comme un coup de tonnerre traverse le ciel...

— Il ne faut pas...

— Pourquoi?

— Ici, c'est un cimetière...

— Croyez-vous qu'on soit si mal que ça dans les cimetières, Lino?

Fichtre non! On y était même plutôt bien... J'avais eu le temps d'en savourer la torpeur, la troublante quiétude.

— Il faut vivre!

— C'est vous qui me dites ça?

— Oui, c'est moi... Partez avec votre sœur, bazardez tout et allez travailler ailleurs... Même comme bonniche de bistrot, si vous ne trouvez rien de mieux...

— Nous ne penserons jamais la même chose, vous et moi...

J'ai secoué la tête.

J'ai questionné :

— Dites, Jacqueline, vous semblez avoir moins de chagrin que votre sœur...

Elle a fermé les yeux.

— Ça vous choque?

— Non.

— Je sais, je suis un salaud de vous dire ça, étant donné ma part de responsabilité dans cet... accident!

— Non. J'ai un chagrin infernal, Lino. Mais il est tempéré par une sorte de soulagement. Maman était une écorchée vive... A cause de Maurice, elle vivait un calvaire permanent. Quand elle s'est aperçue qu'il l'avait volée, je crois qu'elle a souhaité la mort. C'était le bout de la nuit! Maintenant Dieu s'occupe d'elle!

J'ai secoué la tête.

— Dieu? Non, ce n'est pas vrai... S'il y en avait un, il n'aurait pas toléré l'existence d'ordures telles que votre frère et moi! Ou alors c'est pas un bon Dieu! Maintenant, je crois que celui de la Croix, ça n'était qu'un brave homme, tout simplement!

Elle n'a pas répondu. Nous sommes restés un temps infini dans le silence, dans la pénombre. La pièce n'étant éclairée que par le réflecteur du bureau.

— Lino...

— Oui?

— Je ne sais pas pourquoi, je n'ai plus la force de vous haïr...

— Merci.

— Je crois qu'en réalité c'est Maurice l'assassin!

— Je le crois aussi.

— Vous, vous avez été un rouage de cette machinerie que mon frère a mise en mouvement.

— Vous expliquez bien les choses...

— Je les explique comme je les comprends!

— Alors vous les comprenez...

Elle a eu une moue incrédule. Elle était blasée, dolente.

— Lino...

Mon prénom lui procurait, je ne sais pourquoi, une sorte de bizarre satisfaction.

— Lino, est-ce que vous allez tuer Maurice?

Je ne m'étais pas encore posé la question. J'ai hésité.

— Non.

— Vous ne tuerez plus personne?

— Non.

— Vous continuerez votre existence de forban?

— Ça oui, sûrement... Je ne suis pas capable de faire autre chose. Mais je ne tuerai plus...

— A cause de...

— Oui, à cause d'elle, là-haut. Je n'ai pas honte de le dire...

Jacqueline a exhalé un long soupir.

— Vous me le jurez ?

— Ça n'est pas la peine. C'est comme ça, voilà tout! Je ne pourrai plus tuer...

— Alors la mort de ma mère aura donc servi à quelque chose ?

— De ce côté-là, oui...

Il y a eu une grande plage de silence.

— Vous croyez que l'accident sera relaté dans les journaux ? ai-je demandé.

— Évidemment, le correspondant d'ici est venu, vous l'avez vu...

— Alors Maurice sera là demain ?

— Probablement, s'il lit la presse.

— Il la lit. Dans notre job on ne fait que ça...

— Vous ne croyez pas qu'il devinera ?

— Non. Il pensera plutôt à une vengeance de la bande...

— Que ferez-vous quand il sera là ?

— Je lui demanderai les bijoux, afin de calmer les autres...

— Et puis ?

— Et puis, je n'en sais rien...

-:-

C'est vers midi, le lendemain, que Maurice s'est manifesté. Le téléphone avait retenti toute la matinée à cause des gens qui apprenaient la chose... Pourtant, lorsque ça a été lui, il m'a semblé, bêtement, que la sonnerie avait un autre bruit. Elle faisait signal d'alarme.

Jacqueline a répondu. Elle a rougi et m'a promptement regardé.

— Allô! Oui, c'est Jacqueline... Bonjour, Maurice... Tu as lu la presse?

.....

— Elle est morte, oui! Je pense que les funérailles auront lieu demain après-midi... Où es-tu?

Il n'a pas dû répondre à cette question. Elle a enchaîné aussitôt.

— J'espère que tu vas arriver tout de suite. Ton absence serait... serait... odieuse! Quoi?

Il lâchait la grosse question qui lui nouait les tripes.

Jacqueline a eu vers moi un nouveau regard plein d'éloquence.

— Oui, il est toujours ici!

.....

— Non, tu ne crains rien... Attends, je te le passe...

Elle a brandi le combiné dans ma direction. J'ai eu un moment d'indécision, puis je l'ai pris.

— Allô! Maurice?

Silence. J'ai cru qu'il n'était plus en ligne, mais j'ai perçu sa respiration.

— Écoute, Maurice... Maintenant que ta vieille

est morte, ça n'est plus tout à fait pareil... Tu
peux t'amener, on s'arrangera... Tu ne vas pas
la laisser mettre dans les planches sans l'em-
brasser! Elle t'a demandé avant de passer...
Ton nom, Ça a été son dernier mot! Tu comprends!

Je me surveillais pour ne pas chialer encore.
J'étais devenu une femmelette parmi ces femmes!

— Alors, arrive! Tu as ma parole. Maurice...
J'ai raccroché.

— Il ne tardera pas, ai-je promis à Jacqueline.

-:-

Il n'est pas venu.

Nous avons passé vingt-quatre heures à l'attendre. Chaque fois qu'on frappait à la porte
ou que nous entendions une auto stopper devant la maison, nous pensions que c'était Maurice, et chaque fois notre attente était déçue...

Jacqueline a fait retarder le plus longtemps
possible la fermeture du cercueil... Et puis,
quand elle a compris que son frère était le type
le plus lâche, le fils le plus immonde de la terre,
elle a laissé faire les menuisiers...

Cette absence de Maurice anéantissait les
deux sœurs plus que tous les méfaits antérieurs,
plus que le vol dont il s'était rendu coupable.
Des instincts meurtriers se réveillaient dans mon
cœur. Ce gars-là ne méritait pas de vivre. Je

ne pouvais plus penser à lui sans serrer les poings. Quel plaisir j'aurais pris à le massacrer.

Songer qu'il était quelque part, à l'affût, en sachant que sa mère reposait dans une boîte de sapin, qu'on allait visser le couvercle sur elle, pour toujours... et s'abstenir de paraître... Je ne pouvais pas l'admettre. C'était une faute qui concernait l'humanité tout entière. Même moi, quand j'avais appris la mort de ma garce de mère, j'avais fait le voyage à Napoli pour aller lui souhaiter le bonsoir... Et pourtant ça n'avait jamais représenté à mes yeux qu'un ventre de femelle dans lequel j'avais été conçu un soir de bringue!

Il est des circonstances où la peur doit tomber... Où les plus poltrons reprennent courage. Où les lavettes redeviennent des hommes!

Je me suis demandé, à la fin, si Max et ses amis ne l'avaient pas par hasard intercepté au passage. Mais un coup de fil, le matin de l'enterrement, m'a détrompé.

La voix de Max, toujours froide et suspicieuse, m'a écorché le tympan.

— Alors, Lino, ce deuil?

Une fois de plus, je me suis demandé ce qui m'avait poussé à me marier avec ce truand pour le coup de la bijouterie. Lui, il était plus insensible que la pierre d'un tombeau. Rien ne pouvait l'émouvoir.

Comme je ne trouvais rien à lui dire, il a repris :

— L'enfant chéri est venu balancer l'eau bénite ?

— Non, pas encore...

— Mince, il attend quoi ?

— Je ne sais pas. Il a dû piger l'astuce.

— C'est à quelle heure, les funérailles ?

— A trois heures, tantôt !

— Il s'annoncera peut-être à la levée du corps ?

— Peut-être...

— Cette fois, un conseil, Lino : le rate pas !

— Fais-moi confiance.

— Ça fait déjà un bout de temps que je te fais confiance, Lino, je commence à trouver le temps long...

Il a raccroché. Son souci, quand il tubait à quelqu'un, c'était de couper la communication en premier. Il se serait cru déshonoré qu'on lui foute le petit déclic dans l'oreille.

J'ai usé les dernières heures à tourner en rond dans le jardin. A force de piétiner les herbes folles, j'avais pratiqué une sorte de petite clairière à la place des anciens massifs.

Une heure avant la levée du corps, Jacqueline est venue me rejoindre. Elle était déjà prête : tout en noir... Il ne lui manquait que le chapeau avec le crêpe.

— Viendrez-vous aux obsèques, Lino?

— Pourquoi?

— Je voudrais que vous veniez...

— Alors j'irai.

Elle a eu l'air satisfaite.

— J'avais peur que vous ne refusiez.

— Croyez-vous que les assassins doivent absolument aller à l'enterrement de leurs victimes?

— Quand ils le peuvent, oui!

Je n'avais rien de convenable pour suivre un enterrement. Je ne me voyais pas avec ma veste sport et mon pantalon défraîchi derrière le corbillard de Mme Broussac. Je l'ai dit à Jacqueline...

— Venez avec moi... Il reste des vêtements de mon père dans une malle. Maman les conservait pieusement... C'était un homme trapu comme vous... Ça devrait vous aller...

Nous sommes allés dans une vieille penderie située avant le grenier. Je connaissais la malle en question pour l'avoir fouillée lors de mes perquisitions.

Les fringues qu'elles contenaient étaient moisies et sentaient le cadavre. Et comme coupe, il fallait voir! Pour se déguiser en plénipotentiaire 1918, à la rigueur je ne dis pas...

Jacqueline a été la première à convenir que ça n'était pas possible.

— Ne vous tourmentez pas, lui ai-je fait, je suivrai à distance. J'ai déjà vu des chiens derrière des corbillards... Ma place dans le cortège c'est après celle des chiens!

CHAPITRE XVII

LES croque-morts avaient du mal à descendre la bière par l'escalier, car celui-ci faisait un coude brusque, au premier. Et pourtant, il n'était pas lourd, le cercueil. Je me rappelais combien Mme Broussac était légère, dans mes bras, lorsque je l'avais relevée dans la rue.

Peu de monde attendait dans le couloir... Les deux filles, Victor, avec des décorations plein son pardessus, Jeanne, une voisine, le maire et sa femme... Le curé...

Je voyais bien que les gens étaient intrigués par ma présence. Ils chuchotaient en se poussant du coude. Jacqueline leur a dit que j'étais l'associé de son frère et que je représentais Maurice, retenu à Paris par une maladie... Cette fois, il ne restait plus qu'à souhaiter que le fumier ne se montrât pas, pour sauver les apparences...

On a traversé le jardin. Le cercueil dansait sur les épaules des porteurs. Le soleil de ce jour-là brillait sur les poignées et le crucifix d'argent...

Le curé chantait ces choses tristes qui font penser, à cause de l'intonation, à de l'arabe.

Je voulais rester à l'écart, comme convenu... Mais au dernier moment, comme nous sortions de l'atelier où les masques continuaient de rire férocement, Sylvie a eu comme une défaillance et s'est agrippée à mon bras. J'ai voulu la passer à quelqu'un, seulement elle s'est cramponnée ferme et m'a entraîné. Ce n'était pas une défaillance, mais plutôt une ruse.

— Lino, a-t-elle chuchoté sous son voile... Lino, il faut que je vous parle.

— Pas maintenant, ai-je balbutié avec le coin de la bouche.

— Au contraire, c'est le moment que j'attendais... C'est derrière le cercueil de maman que je veux vous dire ça...

Qu'allait-elle m'apprendre? Sa voix était coupée de sanglots rauques qu'elle s'efforçait de réprimer. Il lui fallait un sacré cran pour pouvoir parler. Jacqueline allait, un peu plus à droite, tête basse...

— Lino, j'ai vengé Maman... Comme j'ai pu...

J'attendais la suite. Le soleil dardait fort en cet après-midi. Des oiseaux pépiaient dans les frondaisons... Les roues du corbillard faisaient un bruit de concassage sur les pavés pointus...

— J'avais trouvé les bijoux, Lino!

— Qu'est-ce que vous dites!

— Ils étaient dans une cachette que mon frère avait fabriquée... Une bonne cachette...

La petite idiote! Je l'aurais giflée! Ainsi elle avait les bijoux! Dire qu'en me les remettant elle aurait épargné la vie de sa mère.

Comme tout cela était vide, bête... Comme la vie me semblait ridicule...

— Qu'en avez-vous fait?

— C'est Maman qui les a...

— Comment ça?

— *Je les ai mis dans son cercueil.* Vous ne les aurez jamais, ni vous, ni Maurice, ni vos complices... On va les enterrer avec Maman...

Elle a éclaté en sanglots... J'ai dégagé mon bras d'un mouvement brusque... Le cortège continuait. D'autres personnes parvenaient à ma hauteur, me regardaient, surprises, et continuaient leur lent cheminement vers l'église...

En tête, là-bas, devant les chevaux, le curé chantait et je voyais osciller la croix dorée que portait un enfant de chœur...

« La sale gosse! La sale gosse, me répétais-je... C'est à cause d'elle que... A cause d'elle...

En agissant ainsi, elle avait tué deux personnes : sa mère et moi. Car Max me liquiderait si je ne lui ramenais jamais les diams. Évidemment, je pouvais tout lui raconter... Ce ne serait pas la première fois que des gars cupides violeraient une sépulture... Mais cette sépulture-là, je venais de décider qu'on n'y toucherait pas...

L'enterrement continuait sa marche cahotante... Il était clairsemé... Je l'ai regardé disparaître à l'extrémité de la rue...

Ensuite je suis revenu à la maison... Je voulais la respirer encore, cette grande baraque où j'avais passé les plus sales heures de ma vie. Et peut-être aussi les plus belles!

C'est à elle que je voulais dire adieu une dernière fois...

On n'avait pas fermé la porte de l'atelier. Je suis entré dans l'antre du père Victor. Des figures effroyables ricanaient dans la lumière grise... Des Fernandel, des Chevalier, des Charlot, des Mendès France de cauchemar, aux grands rires convulsés, m'ont accueilli silencieusement, à gorge déployée.

J'ai remonté le jardin... gravi le perron... poussé la porte... J'étais certain que le vieux Victor l'avait fermée à clé dix minutes plus tôt... Elle s'ouvrait néanmoins... Ça voulait dire quoi?

Comme j'étais bête de ne pas avoir compris plus tôt...

Il était en haut... Je l'entendais remuer un meuble sur le parquet aux plinthes vermoulues. Il était revenu, le salaud! Juste pour l'enterrement, en effet... Seulement, ce n'était pas pour le suivre, mais pour récupérer les bijoux. Il devait être embusqué dans le parc du vieux château, en face, et guetter la maison. Quand il m'avait vu m'éloigner dans le cortège, il s'était dit que la voie était libre!

L'ignoble fripouille!

J'ai palpé la poche de mon imperméable. Mon revolver s'y trouvait toujours. Je l'ai pris dans ma main. Je ne me souvenais plus combien il était lourd avec son ventre plein de balles toutes neuves.

Le plus difficile, c'était de gravir l'escalier sans qu'il m'entende. J'ai usé d'une ruse qui vaut ce qu'elle vaut. Je suis monté en mettant mes pieds, non sur les marches, mais entre les barreaux de la rampe. Ça m'a permis d'atteindre le premier étage. Une fois là, j'ai attendu, un instant, d'avoir mon souffle bien à moi.

Il continuait son petit trafic, dans sa chambre... La porte était entrebâillée. Je l'ai aperçu, de dos, accroupi devant une commode. Il avait soulevé le meuble en le calant avec des livres empilés, et il dévissait l'un des pieds.

Sylvie avait dû fausser le pas de vis en remettant le pied de la commode. Maurice pestait

en s'escrimant dessus. A la fin, il est arrivé à
ôter la pièce de bois. Ce pied de commode était
en forme de poire.

Jadis, Maurice s'était amusé à l'évider avec une
gouge, je suppose... Ça laissait dans le milieu une
cavité grosse comme le poing. Quand il était môme,
il devait y dissimuler des boutons de culotte et
des capsules de bouteilles...

En constatant que son trésor s'était envolé, il
a fait un soubresaut terrible.

— Déçu? j'ai demandé en m'avançant sur lui.

Il a lâché le pied de la commode. Ça a produit
un gros bruit épais, puis une quantité d'autres
plus petits, car le pied n'en finissait pas de rouler
sur le plancher.

— Tu arrives trop tard, Maurice...

Rien que cette expression d'écroulement, sur
sa pauvre gueule de canaille maniérée, m'a payé
de ma récente déconvenue. Il avait cette pitoyable
face de pleutre que je lui avais déjà vue à Gênes.
Tout s'était brusquement arrêté en lui. Il ne pensait même plus. C'était une trouille vivante... Une
chiffe affolée qui louchait sur mon revolver...

Je savourais mon triomphe. Mon index cares-
sait la détente incurvée de mon arme, délica-
tement, comme on caresse les lèvres d'une femme
ou la tige d'une fleur. Ça me démangeait d'appuyer
sur cette virgule d'acier. Quelle délectation de
sentir le revolver se vider dans ma main... Le be-

soin de tuer me tenaillait de nouveau. Et pourtant, je croyais bien en être complètement libéré...

Il me fallait la peau de ce garçon blanc de frousse... Je voulais le voir se tordre à mes pieds, par terre...

— Viens ici!

Il ne bougeait pas. Je l'ai saisi par un bouton de son pardessus léger et l'ai tiré de la sorte jusqu'à la chambre de sa mère. Il y avait encore les deux tréteaux du cercueil au milieu de la pièce... Et, sur la table de nuit, un rameau de buis dans un verre d'eau bénite, ainsi qu'un crucifix noir.

L'odeur fade de la mort flottait dans cette chambre. Les volets tirés entretenaient une pénombre doucereuse...

J'ai lâché Maurice...

Je pensais qu'il allait avoir un petit sursaut, quelque chose d'humain...

Il n'a pas bronché. Il ne vivait plus que pour sa peur.

Je l'ai poussé vers la garde-robe.

— Ouvre!

Il a tourné la rude clé. La porte s'est ouverte toute seule, avec un léger grincement.

Il y avait les vêtements de Mme Broussac accrochés sur des cintres. Des robes noires, usées... austères. Des manteaux sans grâce, faits pour la tristesse et le renoncement.

Son fichu noir à longues franges pendait d'un rayon. C'était encore un peu elle, tout ça.

Maurice n'a pas compris où je voulais en venir. Il attendait confusément autre chose... Du probant, du réaliste... Il ne sentait pas que j'essayais de lui arracher un adieu pour celle qu'on emmenait en ce moment au cimetière... Il ne retrouvait pas sa mère dans ces hardes, dans l'odeur de la chambre qui n'était pas seulement une odeur de mort! Ce gars-là était désert comme une banquise... Plus désert encore qu'un Max ou un Charly...

J'ai soupiré. Il m'a regardé.

— Allez, descendons...

Nous avons gagné le bureau. Il ne perdait toujours pas de vue mon revolver. D'une seconde à l'autre, sa mort pouvait jaillir de là-dedans. Mais il était trop dégoûtant, je n'avais plus envie de le descendre... C'eût été trop doux. Je voulais qu'il vive encore, et longtemps, pour avoir sa chance de comprendre qu'il était un misérable type...

— Vois-tu, Maurice, je vais te donner une grande joie : je ne te tuerai pas!

Il croyait que je bluffais, et que je parlais ainsi uniquement pour le torturer.

— Seulement je ne peux pas partir comme ça... Tu comprends?

— Qu'est-ce que tu vas faire?

— Ta gueule!

J'ai soulevé le canon de l'arme.

— Ne dis rien, ça vaut mieux... Après tout, je ne suis pas tellement sûr de pouvoir me retenir...

— Écoute, Lino...

Je lui ai lancé un coup de pied dans les chevilles. Il a gémi, puis il a rencontré mes yeux et s'est tu instantanément. Je ne devais pas être très beau à contempler.

— Quitte ton imperméable...

Maurice a hésité. Il a déboutonné son vêtement de pluie et l'a laissé couler à ses pieds dans un mouvement presque féminin.

— Ta veste!

Il a quitté sa veste.

— Ta chemise...

Il est resté béant, peureux... Il ne voulait pas, il avait trop peur...

— Ta chemise! ai-je gueulé...

Il a vite dénoué sa cravate, puis sa chemise a été dégrafée et la vue de sa peau rose de bébé bien talqué où sur la poitrine végétaient quelques poils blonds m'a redonné envie de tirer... J'ai fermé les yeux un bref instant. Je sentais la présence de Mme Broussac dans la maison. Non, je ne pouvais pas lui faire ça.

Il claquait des dents, maintenant... Sa peau se hérissait... j'ai avancé la main vers sa ceinture, je l'ai dégrafée et j'ai tiré sur la boucle, d'un coup sec. La ceinture est sortie des ganses du pantalon, arrachant la dernière... j'ai fait glisser la boucle à terre. J'ai assuré l'extrémité de la lanière dans ma main en lui faisant décrire un tour mort.

Alors la séance a commencé. Au premier coup, la boucle lui a arraché un gros morceau de viande sur l'épaule... Il a crié comme un gosse échauffé. J'ai levé mon fouet improvisé. Ma colère était si terrible que je regrettais de ne pouvoir frapper plus vite ni plus fort.

Je levais mon bras et le laissais retomber avec une puissance de robot. Comme un robot remonté, rien ne pouvait m'arrêter. Maurice courait dans tous les sens, en essayant de se protéger... Mais je marchais sur lui sans hésiter, le rattrapant toujours en deux enjambées... La ceinture frappait. A chaque coup la boucle entaillait sa chair... Il saignait de partout... Son torse n'était qu'une plaie ; du sang coulait dans ses cheveux... Il avait la bouche écrasée, le nez ouvert, un œil énorme.

— C'est pas pour les diams, Maurice, lui ai-je crié à un certain moment... C'est pour elle, là-haut, que tu as tuée... Pour elle que tu as laissée partir comme ça...

— Pardon, Lino! Je t'en supplie : arrête!

Je n'éprouvais aucune pitié pour sa figure dévastée, pour sa chair meurtrie...

Je cognais toujours... Une grande brûlure naissait dans mon épaule. Je continuais malgré tout.

Je savais que je ne m'arrêterais que lorsque je n'aurais plus la force de lever le bras...

Tout à coup, la boucle de la ceinture a voltigé à travers la pièce. La lanière de cuir m'a semblé légère, inefficace... Je l'ai laissé tomber...

Maurice, écorché vif, était quasi évanoui. Il gisait sur le beau parquet trop ciré, geignant faiblement... Essayant de respirer comme il pouvait avec son nez fendu et ses lèvres crevées.

J'ai empoché le revolver que je tenais toujours dans ma main gauche.

— Tu peux m'entendre, Maurice ?

Je me suis penché. Il était étendu sur le plancher un bras sous le corps, la joue posée sur un patin de feutre.

— Si j'ai un conseil à te donner, c'est de te faire oublier... Fous vite le camp : les autres seront encore moins doux que moi !

Je lui ai mis un dernier coup de pied dans les côtelettes.

— Allez, adieu !

CHAPITRE XVIII

JE n'arrivais pas à descendre les quatre marches moussues du perron. Le soleil semblait me
clouer sur le seuil de la porte. Et puis, je sentais
bien que jamais plus je ne revivrais une pareille
aventure... Pendant trois jours, j'avais réussi à
être un homme comme les autres, ou du moins à
m'en donner l'illusion. Un homme au milieu de
vraies femmes... Un homme dans de la chaleur,
dans de la douceur... Un homme qui marchait
sur des morceaux de feutre pour ne pas salir le
parquet ciré, qui essuyait la vaisselle, en cassant
des assiettes... Un homme surtout qui achetait
des bonnes choses dans des magasins et qui les
ramenait avec le doigt passé dans la boucle de la
ficelle. Un homme enfin qui chaussait des pantoufles et lisait le journal en regardant une mère
jouer aux dames avec sa fille...

J'avais percé le grand mystère... celui qui tour-
mente les truands! Je savais maintenant ce que
faisaient les honnêtes gens, chez eux, derrière

175

leurs sacrés volets fermés. Ils essayaient d'être heureux, et ils y parvenaient à leur manière...

Moi j'allais retrouver mes bars, mes potes, les pétasses... La vie d'aventure que j'avais choisie sans le vouloir... Pendant quelque temps encore, je penserais à ces trois jours-là. Et puis, mon souvenir durcirait comme durcit le ciment en séchant...

Et ce serait fini...

J'ai descendu une marche... Deux marches... Le jardin avait l'air d'un bateau fraîchement peint. Il était lumineux et immobile.

J'ai descendu la troisième marche... L'odeur de la vieille maison commençait déjà à s'estomper. Son odeur de vieux bois, de cire et d'eau de Javel... Son odeur d'images pieuses moisissant dans des cadres noirs... La quatrième marche enfin...

J'ai pris l'allée semée de graviers... C'est alors qu'il y a eu un bruit de vitre brisée. Je me suis retourné. J'ai aperçu le masque sanguinolent de Maurice accroupi derrière la fenêtre du bureau.

Il venait de briser l'un des carreaux avec son revolver... J'avais eu tort de céder au louche enchantement de la propriété. Ça lui avait donné le temps de fouiller ses fringues, de récupérer son revolver...

— Alors, ai-je fait, tu deviens donc un homme maintenant ?...

Il a grimacé derrière les languettes de vitre

restant en place. Il y a eu un éclair bleuté... Une
détonation... La balle a déchiré le feuillage au-
dessus de ma tête et s'est plantée dans le toit de
l'atelier.

J'ai haussé les épaules.

— Manche!

Il connaissait donc la vengeance, Maurice? Il
n'était pas complètement mort, alors? Il y avait
peut-être un peu d'espoir pour lui... Ce coup de
feu, c'était déjà un début de guérison, non ?
Mme Broussac devait être contente, là-haut, bien
qu'elle eût détesté la violence...

Un second coup de feu a déchiré le silence. Dans
un poulailler proche, une poule a poussé un cri
bizarre, pareil à un glapissement. Comme en
poussent les « mères-couves » quand elles voient
planer un oiseau de proie au-dessus de leurs poussins.

Cette fois-ci, le coup de feu est allé frapper le
vieux portail, dans un jaillissement de rouille
pulvérisée.

Il n'avait rien du tireur d'élite, Maurice...

Pourtant, comme retentissait la troisième détonation, j'ai senti un coup dans mes reins... Un
coup de poing, aurait-on dit. Il m'a fait trébucher...
Mais j'ai continué ma route... Mine de rien. L'atelier avec les masques ricaneurs... La ruelle baignée
de lumière...

Je me demandais où la balle m'avait atteint.

Je respirais avec difficulté... Je ressentais une lourdeur dans le dos... J'avais l'impression d'avoir fourni un effort terrible et de subir un coup de pompe...

Je me suis adossé au mur de pierre...

— Ça ne va pas, Lino ?

Je n'avais pas entendu arriver l'auto. Il faut dire que Max avait repris sa belle Chevrolet chromée et que ces outils-là ne font pas de bruit...

Je l'ai regardé. Il se tenait penché à sa portière, les sourcils joints au-dessus de son regard glacé.

— Si, Max, ça va...

— Tu sembles tout chose ?

— Je viens de passer à la purge le petit Maurice... Je crois que je me suis trop donné...

— Alors il est revenu ?...

— Oui, il est revenu !

— Tu as les pierres ?

Si je lui avouais que je ne les avais pas, il allait rentrer dans la maison, trouver Maurice vivant, le liquider pour de bon...

J'ai porté la main à ma poche gonflée par le revolver...

— Oui.

— Bravo... Allez, grimpe !

Je n'avais pas la force d'ouvrir la portière arrière... C'est Charly qui a actionné la manette de l'intérieur...

J'ai fait un effort surhumain pour me pencher. J'ai basculé en avant sur la banquette. Je me suis redressé... Je ne sentais plus mon dos... Charly a rabattu la portière... L'auto a démarré.

Une vaste torpeur m'engourdissait. Je voyais la vie à travers un brouillard... Le flottement de la voiture me berçait... Je pensais à Jacqueline, à Sylvie, et à cette suave odeur de cimetière qui flottait dans leur jardin.

CONCLUSION

Max conduit, les dents crispées sur son fume-cigarette d'or... A ses côtés, Charly mâche du chewing-gum. C'est très important pour la concentration, le chewing-gum ; tous les sportifs le prétendent! Max chantonne... Ou plutôt il pense à un air joyeux, mais il ne le chante qu'en dedans, en haut du nez...

La voiture arrive sur la place de l'Église au moment où un enterrement débouche. Max est obligé de freiner. Comme il a du savoir-vivre (et le sens de l'humour noir) il ôte son feutre beige à ruban clair... Il pousse Charly du coude pour l'inciter à en faire autant.

Charly sourit finement et met son chapeau sur ses genoux. Alors tous deux se retournent vers l'arrière pour voir si Lino les a imités...

Mais Lino a la tête penchée en avant, sur sa poitrine... comme tous les gens qui meurent assis.

L'enterrement de Mme Broussac passe en cahotant devant la Chevrolet bien briquée qui accapare tout le soleil.

PRODUCTION
EDITO-SERVICE S.A., GENÈVE

IMPRIMÉ EN ITALIE

BP
Lu 1er nov. 2016